名のないシシャ

山田悠介

角川文庫
18414

名のないシシャ

山田悠介

今年関東地方では例年よりも五日ほど早く梅雨入りが発表され、神奈川県西部に位置する西岸町《せいがんちょう》では昨夜から大雨が続いている。

先《さっき》まで下校する小学生たちが東西川《とうざいがわ》沿いを、傘を差しながら楽しそうに歩いていたが、今は小学生たちの姿はなく、耳に聞こえてくるのは風の音と雨の音と、川の流れる音だけである。

東西川沿いを歩く子供たちは誰一人気づかなかったが、実は土砂降りの中、白いTシャツに青い半ズボン姿の、見た目十歳くらいの男の子が、草むらに紛れるようにして体育座りしていた。

少年は今朝からずっと、殆《ほとん》ど動くことなく東西川の激しい流れを眺めていたのだった。

真夏に過ごすような恰好《かっこう》で、もう十時間近く冷たい雨に打たれ続けているが、少年は寒さを感じていない。その表情にも、肌の色にも変化はない。

更には十日以上何も食べておらず、一滴の水すら口にしていないが、空腹は感じず、また脱水症状にだってならない。

少年は、食べ物の味は分かるが食べる必要がない。また、寝ようと思えば眠ることはできるが、睡眠を取る必要もない。

なぜなら、少年は人間の形をしているが、人間ではないからだ。

それ故に血は通っていない。髪や爪だって伸びることはない。

体つきは子供であるが、少年はもう五十年程生きている。

少年はぼんやり川を眺めながら、いつしかこの五十年を振り返っていた。

一瞬では思い返せないほど、様々な出来事や出会いがあったが、感動もときめきもない、退屈で、何の価値もない五十年であった、と心の中でつぶやいた。

この五十年間で日本は見違える程発展し、裕福になり、住みやすい国に変わった。

しかしこの五十年間で心を動かされるほどの人間には一度も出会わなかった。

いつかは命を捧《ささ》げたいと思う人間に出会えると思っていたが……。

どうして、心が醜い人間に命を捧げなければならない？

どうして、命の重み、大切さを知らない、簡単に命を捨ててしまう人間たちに、時間を与えなければならない？

これ以上生きていても意味はないし、未練はない。かといって下らない人間に、むやみやたらに時間を与えることはしたくない……。

その後も少年はまるで電池の切れたロボットのように微動だにせず川をぼんやりと眺め、更に一時間が経った頃だった。

ふと、背後に人の気配を感じた。

危険を感じてはいないが、ゆっくりと立ち上がり、少年は振り返った。

やはりそうである。十人くらいいるであろうか、傘を差した大人たちが、足音を立てぬよう近づいてくる。

「ほらいた、やっぱりあの子だった」

雨の音に紛れて、男の声が聞こえた。

「こんな雨の中、傘も差さずに……」

今度は、中年の女の声がした。

嫌な雰囲気を感じた少年は、何も言わずに大人たちに背を向け、歩き出した。

西岸町には三ヶ月程いて、なかなか気に入っていたのだが、どうやらこの町ともそろそろお別れのようだ。

「ねえ僕、ちょっと待ってくれるかな」

優しい口調で声をかけられた。

少年は振り返りもせず、歩調を早めることもしない。

「ねえ君、お家《うち》はどこだい？　名前は？　ご両親はどこにいるのかな？」

その後も大人たちはしつこく声をかけながらついてきたが、一瞬静寂となり、大人たちが何か合図したのを感じ取った。

その直後、突然大人たちが走り出した。

やっぱりね、と少年は小さな声で言って、大人たちから逃げるように走り始めた。

心配している風であったが、本当は、三ヶ月前から突然この町に住み着いた自分を捕まえて、『正体』を調べようとしているに違いないんだ。

「待って！　待ちなさい！」

大人たちはすぐに息が切れ足が止まったが、少年は腕力や脚力こそないものの、一切疲れを感じることはない。やろうと思えば一生走り続けることができる。

少年は、肩で息する大人たちを一瞥《いちべつ》すると、

「なあんだもう終わりか、つまんないの」

と呟《つぶや》き走るのを止め、国道の方に向かって歩いて行く。

後ろから、微《かす》かに男の声が聞こえた。

「あれは座敷童《わらし》だ、間違いねえ」

少年は大人たちを振り返り、誰が座敷童だバァカ、と言って、石ころを思い切り蹴《け》飛《と》ばした。

土砂降りの中、少年はつまらなそうに缶を蹴りながら国道沿いを東に向かって歩いていた。

あれから五時間近く歩いているが、疲れはない。ただ、退屈だ。人間でもからかって暇つぶしでもしようか、と少年は思う。

次はどこに行こうか。

この五十年、日本中を旅してきた少年には知らない場所はほとんどない。どこも新鮮じゃないから、逆に迷う。

一旦《いったん》神奈川から出て、千葉とか静岡とか、ここよりもっと静かな場所にでも行こうか。

そう考えていたものの、少年は無意識のうちに横浜の桜木町《さくらぎちょう》駅の目の前にある、大きな時計台に来ていた。

周りには、大きな観覧車が一際目立つ『よこはまコスモワールド』や、ショッピングモール、それに高層ビルが建ち並び、ネオンが街を明るく照らしている。

大雨にもかかわらず時計台の周りには多くの人間がおり、皆何か楽しそうである。

少年は、人間たちの平和ぼけした顔から、頭上に視線を上げた。

それぞれ数字は違うが、皆の頭の上には数字が表示されており、一秒、二秒と減っている。

まるで、ストップウォッチのカウントダウンのように。

人間の頭上に表示されている数字は、彼らに与えられた『残りの時間』だ。

残り1576778800秒の者は、大体あと五十年間生きられる計算になる。無論それ以上の者、それ以下の者もいる。

「つまらないの」

少年はそのまま時計台から立ち去ろうとしたのだが、人間たちの中に、秒数が表示されていない二人の子供を見つけた。

一人は黄色い帽子を被《かぶ》った少年。

もう一人は、赤いワンピースを着た少女。

二人とも少年と同様、見た目は十歳くらいであり、やはり同じように洋服が薄汚れている。

二人は少年とは違い傘を差しており、黄色い帽子の少年は、どこで手に入れたのか知らないがポータブルゲーム機で遊び、赤いワンピースを着た少女は、手鏡で自分の顔を見つめている。

こんな夜に小さな子供が一人で外を出歩いている時点で不自然だが、人間たちは心配するどころか、全く気にも留めていない。

少年は、人間たちの馬鹿みたいな笑い声が何だか不愉快で、そのまま二人の元に歩み寄り、手を上げながら声をかけた。

「やあ二人とも久しぶり、ここに来てたんだね」

二人は顔を上げ、少年の顔を見ると退屈そうな顔から笑顔になった。

「やあ」

「やあ」

名前ではなく、やあ、と声をかけ、やあ、で返すのは、彼らには名前がないからだ。

少年と二人が再会するのは約一年ぶりで、最後に会ったのもここ、時計台の下であった。

五十年前、彼らは気づいた時この時計台の下にいた。時刻は真夜中で、不思議と誰一人として人間はいなかった。

今いる三人だけではない。最初は十人、皆、三人と同じ十歳くらいの『子供の姿』であった。

少年たちは、どのようにしてこの時計台にやってきたのか、全く記憶がない。もしかしたら自分たちの足でここまで歩いてやってきたのかもしれないが、少年は違うと考えている。

きっと、どこからか瞬間移動してやってきたのだと思っている。

なぜなら自分たちは『使者』だから。

少年たちは時計台にやってくる以前の記憶は全くないが、不思議と、自らが使者であることは認識していた。

さらに天からの使者は十人だけではないと、少年は知っている。この五十年の間に、何百もの使者を見てきた。今だって、人間のふりをした使者が日本中にたくさん存在するはずだ。

日本だけではない。きっと、世界中に使者はいるだろう。

少年たちは目を閉じると、人間の頭の上に表示されているような数字が見える。

『100000000』秒、つまり約三年分の時間である。

ただ人間と違うのは、秒数は減っていない。

少年たちはこの『100000000』秒を、人間たちに与えることができるのだ。

そして、少年たちに寿命はない。ただ、与えられた『100000000』秒を全て与えた瞬間に、存在が消える。

少年は過去に一度だけ、使者が消えていった瞬間を見たことがある。

場所は福岡県。その使者の顔を見るのは二回目だった。

なぜならその使者は、時計台にいた最初の十人のうちの一人だったからだ。

男の子の姿をしたその使者は、理由は分からないが三十前後の男性に『100000000』秒全てを与えたのである。

使者の最後の顔は少し寂しそうであったがとても晴れやかで、男性に手を振りながら消えていった……。

あれから約四十九年が経ち、時計台の十人のうち、消えていない使者は何人いるであろうか。

脳裏に浮かぶのは五人の顔。その五人はもうとっくにこの世から消えたかもしれない。

少年はそっと目を閉じた。

見えるのは、『100000000』という数字。

つまり少年は五十年間、一秒も人間に時間を与えていないのだった。

少年はこの世に心底退屈しており、生きることに未練はなく、自分が消え去ることに恐れもない。

だからといって、時間を与える価値のない人間に時間を与え、生涯を終えることだけはしたくない。

いつかは命を捧《ささ》げてもいいと思える人間に出会えるのだろうか。

少年は無意味な毎日にうんざりしている。

少年の前に現れるのは、心が汚い人間や、命の重み、価値を知らない人間ばかりなのだ。

隣にいる少女も少年と同じくまだ一秒も時間を与えていない。少女は少年とは少し違い、ただただ人間が嫌いなのだ。少年は何度か理由を聞いたことがあるが、いつも『ただ嫌い』としか言わないのである。

反対に、黄色い帽子を被った少年は残り僅《わず》か『86400』秒。ちょうど十日間の命である。

黄色い帽子の少年は、これまで一時の感情で何人もの人間に時間を与えてきた。

二人とは対照的に、黄色い帽子の少年の時間は残りほんの僅かであるが、自分たちよりも長く、いや永遠にこの世に存在し続けると確信している。

なぜなら彼は心がとても優しいが、ひどく臆病《おくびょう》で、自分の存在が消えてしまうのが怖いと思っているからである。

少年はもう一度目を閉じ、『1000000000』秒という数字を見た。

たった三年間分の時間しか持っていないのに、五十年という長い長い時間を生きてきた。自分たちは果たして、あと何年この世に存在し続けることになるのだろう。

「ねえねえ二人とも」

少女が二人に声をかけ、少年はゆっくりと目を開けた。

少女は、大学生らしき男性を指さしている。

「あれ、見てよ」

少女の顔は、意地悪をするときに見せる顔であった。

少女が指さした男性は酒に酔っているらしく、大雨にもかかわらず友人たちと馬鹿騒ぎしている。

彼の頭の上に表示されている数字は、『2590000』秒。

少年は即座に計算し、残り一ヶ月足らずの人生であることを知った。

少年たちは人間の寿命は分かるが、どのような死を迎えるかまでは分からない。

あの様子だと、病気はなさそうだ。

だとしたら、事故か。

「ねえ、教えてあげようか」

黄色い帽子の少年が言ったが、二人は首を振った。

「無駄よ、私たちの言うことなんて信じるわけないわ」

「そうだよ。あの若さで可哀想だ」

少年は抑揚のない声でそう言うと、二人に手を上げた。

「じゃあ俺はそろそろ行くよ。いつかまた」

少年は二人に背を向けると、残り時間の少ない男性には一瞥《いちべつ》もくれず、時計台を後にした。


暗い大雨の中傘も差さずに一人、てくてくと歩く少年に大勢の大人たちが注目するが、誰も声をかけることはしない。少年もまた、人間には興味なさそうにただ真っ直ぐ前を見据えて適当に歩く。

しばらく経ち、行き先を考えながら歩いていると、後ろから突然声をかけられた。

「君、ちょっと待ちなさい」

少年は少し嫌な予感がし、振り返った。すると自転車に乗った警官がゆっくりと近づいてきたのである。

「こんな時間にダメじゃないか、外出歩いたら」

少年は雨合羽《あまガッパ》を着た警官を見るなり駆けだした。

少年には親がいない。名前がない。いや、名前はどうにかなるが。

とにかく捕まったらちょっと面倒なのだ。

「あ、こら君！　待ちなさい！」

自転車が通りにくい細道に入り、スナックや焼き鳥屋の看板を倒しながら全力で逃げた。

「こら、止まりなさい！」

「しつこいなあもう」

警官が自転車に乗っているのが厄介だった。相手も走っているならとっくにばてているはずだが、なかなか諦《あきら》めてくれない。

少年はようやく、自転車が完全に通れない道を見つけ、さっと入り込んだ。

その時だ。

「あ、こら、ちょ、ちょっと、な、何をするんだ！」

振り向いた時にはすでに警官は派手に転んでいて、二人の子供が、少年の方に向かってやってくる。

赤いワンピースの少女と、黄色い帽子の少年だった。

「バーカバーカ」

言ったのは赤いワンピースの少女で、黄色い帽子の少年は少し心配そうである。

「逃げよう！」

少年は少女に頷《うなず》き、三人は急いで警官から逃げた。

右左と適当に路地を抜けて大通りに出ると、

「もう大丈夫みたいだよ」

黄色い帽子の少年が言った。

三人は走るのを止め、ホッと胸を撫《な》で下ろす。

「あぶなかったわね」

赤いワンピースの少女がからかうように言った。

「ついてきてたんだ」

「だって、ずっと時計台の下にいるのも退屈だもの。ね？」

「うん」

「たまには、一緒に行動しようと思ったの。ね？」

「うん」

少年はやれやれというように息を吐くと、

「別にいいけどさ。で、どこいこっか」

「適当にどこかいこ。神奈川から出てみようか」

少年は赤いワンピースの少女に返事すると再び歩き出した。

疲れを全く感じない三人は夜通し歩き続け、昼の二時を過ぎた頃、千葉県の九十九《くじゅうく》里浜《りはま》に到着した。

いつしか雨は止み、雲の隙間からうっすらと太陽が顔を覗《のぞ》かせている。

少年は濡《ぬ》れたTシャツと半ズボンを脱いで力一杯しぼった。

「ねえ、新しい服にすれば？」

赤いワンピースの少女にそう言われた少年は少し恥ずかしそうな顔を浮かべ、

「そ、そっちこそ。結構汚れてるぞ」

少女は頬を膨らませ、そっぽをむいた。

「ふんっ。嫌い」

少年は気にも留めず、目の前に広がる海を眺めながら言った。

「ここに来るのは何年ぶりかな」

確か三十年以上ぶりだ、と少年は心の中で言った。

五十年間いろんな場所を彷徨《さまよ》ってきたが、少年は都会よりも田舎が好きで、特に海の近くの土地は、なぜか妙に落ち着くのだった。実は三ヶ月間住んでいた神奈川の西岸町も、すぐ傍に海があったのだ。

「周りの風景は少し変わったけど、砂浜から眺める海は何年経っても変わらないや」

自分たちも同じだ、と少年は思った。五十年経っても、少しも変わらない。

「ねえねえ、これからどうするの？　僕たち、どこで生活する？」

少年たちにあてはないが再び歩き出す。道路の標識には、『この先永田駅《ながた》』と出ている。

赤いワンピースの少女が機嫌悪そうに言った。

「知らないよそんなの」

黄色い帽子の少年が言った。


三人はそのまま駅の方に歩いて行くが、途中いい加減歩くのに飽きてきた三人は、偶然通りかかった公園に入ってみた。

そして三人はすぐにそこでの異様な光景に気づいた。

公園には様々な遊具が設置されているが、遊んでいる子供はおらず、ジャングルジムの天辺《てっぺん》に一人の少年が足をぶらつかせながら座っている。

白いTシャツに黒いダウンジャケットを羽織り、下はジーンズを穿《は》いている。首には黒い十字架のネックレスを垂らし、三人とは違い髪も綺麗《きれい》にセットしている。

少年の下には百人近い大人が正座しており、期待に満ちた表情を浮かべる者もいれば、怯《おび》えるような目で少年を見つめている者もいる。

三人には、大人たちの『残りの時間』が見える。しかし、ジャングルジムの天辺にいる黒いネックレスの少年の頭上にだけは、数字は表示されていない。

「教えてください！　私は、私はあと何年生きられますか！」

五十くらいの女性が黒いネックレスの少年に言った。

黒いネックレスの少年は女性をしばらく見つめ、

「心配しなくていいよ、あなたはあと三十二年生きるから」

女性はホッと胸を撫で下ろすが、

「三十二年後の、何月何日に死ぬのでしょうか」

と問うた。すると黒いネックレスの少年は、

「計算するの面倒くさいな。とにかくあなたに残された時間は、10091540０秒だよ。自分で計算してみて」

女性は涙ながらに、

「ありがとうございます」

と礼を言うと、予《あらかじ》め用意しておいた計算機を取りだし、必死の形相で計算し始めた。

二人のやり取りを眺めていた少年は鋭い目つきに変わり、

「あいつ、相変わらずつまらないことしてるんだね。でもまさか、こんな場所で会うなんて」

ジャングルジムの天辺にいる黒いネックレスの少年は、彼らと一緒にいた十人の使者の一人だ。

少年が、まだ必ず生き続けていると確信していた『使者』であった。

「私、あいつ嫌い」

赤いワンピースの少女が言った。

「僕も、ちょっと苦手だな」

「行こうか」

三人が公園を立ち去ろうとした刹那《せつな》、黒いネックレスの少年が三人に気づき、ジャングルジムをおりてきた。

その時、先ほど寿命を告げられた女性が黒いネックレスの少年に茶色い封筒を手渡した。

「ありがとうございました、本当にありがとうございました」

それを受け取った黒いネックレスの少年は不敵な笑みを浮かべながら三人に歩み寄り、

「やあ久しぶりだね。何年ぶりかな。こんな小さな町で再会するなんて、長くこの世にいると、こんな偶然もあるもんだね。

しかしまだ生きてたんだね、嬉《うれ》しいよ」

最後は嫌みっぽい言い方であった。

「三人とも、今までどこで暮らしてたんだい？」

黒いネックレスの少年は三人の反応に少し困った様子を見せ、

「おいおい、何でそんな怖い顔してるんだ？　僕が君たちに一体何をしたっていうんだよ。

久しぶりに再会したんだから、もっと嬉しそうな顔してくれよ」

「相変わらずくだらないことしてるんだな」

少年が言うと、

「くだらないこと？」

黒いネックレスの少年は惚《とぼ》けた顔で返した。

「人間に寿命を告げて、お金をもらうなんて」

「え？　この封筒のことを言ってるのか？　この中が金だとは決まってないじゃないか」

「別にどうだっていいけど」

実際この使者に対して全く興味がない。ただ昔から、徒《いたずら》に人間に寿命を告げて怯える姿を楽しんでいたこの使者が、気に食わないだけだ。

「目的は金じゃないよ。ほら、人間たちのあの姿、僕を見つめるあの目を見てみなよ」

三人は振り返り、大人たちの目を見た。

黒いネックレスの少年を、まるで崇《あが》めるような目で見つめている。

「大の大人が、子供の姿をした僕を崇拝している。今では『神の子』扱いだよ。とても気分がいいと思わないか？」

「別に」

「今日は残念ながら残り時間の少ない大人はいないけどね、僕は、寿命の短い人間が残り時間を宣告された瞬間の、恐怖に怯える姿を見るのが快感でたまらなくてさ。仮に、ここにいる全員が明日死ぬ運命だったら面白いぞ。全員がパニックになる、フフフ。いつかそんな光景、見てみたいもんだ。

あ、言っておくが別に人間に恨みはないんだ」

「あのさ、そういうの、あまりよくないと思うな」

黄色い帽子の少年が、勇気を振り絞ったように言った。

しかし黒いネックレスの少年は鼻で笑い、

「少なくとも、ここにいる人間たちは僕に感謝しているけどね」

と言った。

「それでもさ」

「僕たちは」

黒いネックレスの少年は、黄色い帽子の少年を遮りこう言った。

「特別な能力を持って生まれたんだ。有効活用しないともったいないだろう？」

「何が有効活用だよ。俺たちは、残り時間の少ない人間に時間を与えるのが使命だろう」

少年は言った直後無駄だと気づき、二人に行こうと言って、黒いネックレスの少年に背を向けた。

「ならば君は、なぜ未《いま》だにこの世に存在し続けているんだい？」

少年の歩みが、一瞬止まった。

「君は、あと何秒残っているんだい？」

少年は答えぬまま公園を後にした。

「またいつか会おう」

黒いネックレスの少年の、愉快そうな声が公園中に響いた。

少年は何事もなかったかのような平静な態度で歩みを進めるが、先ほどのあの使者の言葉が頭から離れない。

公園にいるのが彼だと分かった時、最初は単なる偶然だと思ったが、この再会は運命、とは言い過ぎかもしれないが、それに近い何かを感じた。

思い返せば、あの使者にだけはよく遭遇する。

後ろの二人とは時計台でしか再会したことがないが、あの使者にだけは、時計台以外でも遭遇するのだ。

お互いが、引きつけられたかのように……。

あの使者と最後に会ったのはもう五、六年も前のことになるが、それより以前は、なぜか二、三年に一度の割合で偶然遭遇していた。

会うたびにあの使者は、人間を脅したり、からかったり、つまらないことばかりしていたのだが……。

最後に彼が言った、また会おうという言葉が妙に心に響く。

もう二度と会いたくはないが、何となくまた会うような気がすると、少年は思ったのだった。

「岬村《みさき》、だって」

後ろを歩く黄色い帽子の少年がそう言った。

少年はふと我に返り空を見上げた。

知らぬ間に、三時間以上も歩いていたらしい。いつしか空は紅《あか》く染まっている。しかし遠くの空は雲行きが怪しい。

しばらくして、赤いワンピースの少女が言った。

「あ、また雨よ」

少年が予測した通りであった。ボタボタと大粒の雨が降ってきた。

「これだから梅雨は嫌よ」

少年だけは傘を持っていないが、雨宿りすることなく構わず歩いていく。

「ねえ、入りなよ」

黄色い帽子の少年が声をかけるが、少年は背を向けたまま、

「いい、雨気持ちいいから」

と答えた。

少年はあっという間にズブ濡《ぬ》れになったが、寒さは感じない。ただ、服が肌にべたついている、と感じるだけだ。

「ねえ、そろそろどこで生活するか決めましょうよ」

「そうだね、雨強いし、歩くの面倒だから、この辺りで生活してみようか」

少年は二人のやり取りを聞いているだけで会話には入らなかった。

「ちょうどいいや、ほらあそこに古い家があるだろう、あの様子だと誰も住んでないよ。あそこを僕たちの家にしようか！」

黄色い帽子の少年が前方を指さした、その時だった。

「びしょ濡れだよ、風邪引いちゃう」

後ろから女の子の声がした、と思い振り返った時には、少年の隣に、眼鏡をかけた

長い髪の女の子が立っていて、心配そうな顔で傘を差してくれていた。

女の子は少年とほとんど同じ背丈で、綺麗《きれい》な白いブラウスにピンクのスカートを穿《は》いている。だが、雨のせいで上も下も泥が跳ねてしまっている。

左手には買い物袋が下がっていて、覗《のぞ》くと中には魚とお肉と野菜とシチューの素が入っていた。

少年は無意識のうちに女の子の頭上に目を向けていた。

『227059200０』という数字が見え、今こうしている間も、一秒一秒減っている。

また無意識のうちに計算していると、手を強く握られた。

少年には心臓がない。なのに少しドキッとした。

「私の家すぐそこだからおいで」

「ど、どうして」

「だって、こんなびしょ濡れのままでいたら、風邪引いちゃう。熱出たら大変よ」

「風邪なんか引かないよ」

実際そうであるが、女の子にはその意味が分かるはずもなく、

「いいからいいから、早く乾かそう」

強引に少年の手を引っ張った。

「ちょ、ちょっと」

二人のやり取りを見ていた黄色い帽子の少年と赤いワンピースの少女は顔を見合わせ首を傾げた。

「僕たちも、行ってみようか」

「そう、ね」


女の子の言ったとおり、家はすぐそこであった。二十坪もない古い平屋の玄関を開けると、

「おばあちゃんただいま」

と言い、

「ちょっとここで待ってて、タオル持ってくるからね」

少年にそう告げると、一旦《いったん》奥に行き、すぐにバスタオルを持って戻ってきた。

「まずは水を拭《ふ》き取って」

少年は面倒であったが、仕方なく全身を拭いた。

「じゃあ、上がって。お風呂《ふろ》に行きましょう」

「いや、もういいよ。帰るから」

「いいからいいから！」

少年は再び手を握られ、強引に靴を脱がされた。その時、奥から六十後半と思われる女性がやってきた。割烹着《かっぽうぎ》を着たその女性は優しそうな顔つきで、ふくよかなからだつきだ。頭には白いモノがちらほらと混じり、その上には『531273689』と表示されている。

「あら玖美《くみ》、お友達かい？」

クミ、少年は心の中で言った。

「すぐそこで会ったの。びしょ濡れだったから連れてきたの」

「そうかいそうかい、さあお上がり。お風呂に行っておいで」

少年は意外そうな目で、女の子と女性を見つめた。

「ほら、きて」

少年は強引にお風呂場に連れて行かれ、小さな籠《かご》を渡された。

「これに脱いだもの入れて洗面所に置いといてね。着替え用意しておくから」

「別に、いいって言ってるのに」

「じゃあね」

扉を閉められ、お風呂場に一人になった少年は渋々服を脱ぎ、服を籠に入れるとそっと扉を開け、言われた通り洗面所に置いた。

浴槽には湯はたまっておらず、少年はシャワーの蛇口を捻《ひね》る。

玄関の方から微《かす》かに女性の声がした。

「ほら、二人もお上がりよ。今お菓子出してあげるからね」

少年は、分からないというように首を傾げた。


シャワーから出ると、クミと呼ばれていた女の子の物と思われる青いパーカーと黒いジャージが用意されており、少年はやむなくそれに着替えた。

背丈がほぼ同じこともあり、サイズはぴったりだが……。

洗面所の扉を開けるとすぐに女の子がやってきて、

「うん、ぴったし、似合ってるね」

と嬉《うれ》しそうに言った。

「俺の、服は？」

「今乾燥機に入れてるよ。すぐに乾くから」

「そ、そう」

「おいで、みんなでお菓子食べよ」

隣の部屋が小さな居間になっていて、黄色い帽子の少年と、赤いワンピースの少女がドーナツやスナック菓子を食べていた。

その隣で、女性が嬉しそうに二人を眺めている。まるで本当の子供を見るような目だった。

「さあさあ、僕もおいで。お菓子とジュースをあげるからね」

少年は二人の隣に座り、出されたお菓子とジュースを食べた。

「どうだい？　おいしい？」

女性に聞かれ、少年は横を向いたまま、はいと返事した。久しぶりにドーナツやスナック菓子を食べ、正直とても美味《おい》しいのだが、素直に喜べない。

女の子が少年の隣に座り、三人に自己紹介した。

「私、立岡《たておか》玖美、よろしくね。みんなの名前は？」

玖美に名を尋ねられた三人は顔を見合わせ、

「適当に名前つけてもらっていいよ」

少年が答えると、今度は玖美と女性が顔を見合わせ首を傾げた。

「歳はいくつ？」

少年は、また変に思われるのが面倒だったので、

「十歳」

と言った。

「玖美ちゃんは？」

　黄色い帽子の少年が尋ねると、

「私は十一歳、小学五年生」

　明るい声で答えた。

「玖美ちゃん、何だか頭良さそうだね」

　玖美は黄色い帽子の少年に視線を向け、

「そんなことないよ。どうして、そう思うの？」

「だって、眼鏡かけてるからさ」

「眼鏡かけてるからって、頭いいとは限らないよ。眼鏡は、生まれつき視力がよくないからだよ」

「そっか」

　黄色い帽子の少年はへへへと笑い、今度は玖美にこう言った。

「その洋服、とても可愛いね」

　少年は、黄色い帽子の少年の顔を横目で見た。

　いつになく嬉しそうにベラベラ喋《しゃべ》るな、と思った。

「そうかしら、おばあちゃんに買ってもらった洋服なの。でも、少し泥がついちゃったから後で洗わないと」

「すごい似合ってるよ。ね？」

黄色い帽子の少年が赤いワンピースの少女に意見を求めると、

「そうかしら」

急に機嫌悪そうな態度になった。

「玖美ちゃんのことばかり褒めるから、面白くないんだきっと」

「別にそうじゃないわ」

「まあまあ二人とも」

横で嬉しそうに子供たちを眺めていた玖美のおばあちゃんが優しい笑顔で言った。

「ところで、初めて見る顔だね。岬村の子じゃないだろう？　隣町からきたのかね？」

少年は一拍置いて、

「はい、そうです」

と答えた。

「村には、何しにきたのかね？」

「探検、かな」

少年がそう答えると、玖美のおばあちゃんはそうかいそうかいと頷《うなず》いた。

「これから玖美と仲良くしてやってちょうだいね」

黄色い帽子の少年が元気よく返事した。

「うん、今日から友達だ」

玖美は心底嬉しそうな表情になり、

「ありがとう」

と三人に言った。

「さて、おばあちゃんはそろそろ晩ご飯の支度をしようかねえ。玖美、手伝ってちょうだい」

「でも、これからみんなと遊ぼうと思ってたのに」

「遊ぶって、何かゲーム機があるの？」

ゲーム好きの黄色い帽子の少年が言うと、玖美は少し悲しそうな顔で、

「家には、ゲーム機はないの。トランプで遊ぼうと思ったんだけど……」

と言った。

「そっか、いいよ、やろうやろう」

「駄目よ、今日は」

玖美のおばあちゃんがそう言うと、玖美は残念そうな顔になり、

「どうしてよ」

「だってもう六時になるでしょ。お家《うち》の人が心配するからね」

「はい」

少年は返事して立ち上がり、すっかり落ち込んでしまった玖美に言った。

「俺の洋服、もう乾いたかな」

「まだ、全部乾いてはいないと思うけど」

「いいよ、貸して」

少年はそう言って洗面所に向かい、玖美から白いTシャツと青い半ズボンを受け取ると、お風呂場《ふろば》で着替え、借りた洋服を玖美に返した。

「じゃあ、俺たち帰るから」

玖美にそう言った後、少年は玖美のおばあちゃんの所へ行き、

「おばあちゃん、お菓子とジュース、ごちそうさまでした」

と言って、二人と共に玄関に向かった。

「まだ雨強いから、この傘持って行って」

玖美がビニール傘を差し出す。少年は素直に傘を受け取り、

「どうもありがとう」

初めて目を見て言った。

「ねえ、また会えるかな。その時は四人で遊ぼうね」

「すぐに会えるよ」

黄色い帽子の少年が言った。

「じゃあ」

少年が玄関を開け、三人は玫美の家を後にした。

大雨の中、三人は宛てもなく歩く。

しばらくして、少年は気づいた。

そういえば、人間に『ありがとう』と言ったのはいつのことだろう。

記憶にないくらい、久しぶりのことだった。


翌朝、三人は玫美の家の近くの公園にある、黄色い土管の遊具の中で目覚めた。

昨日、玫美の家を後にした三人は、行く宛てもなく岬村を歩いたが、黄色い帽子の少年が、しばらく岬村にいよう、できれば玫美ちゃんの家の近くで生活しよう、と言うので、三人は今いる『南岬公園』でしばらく生活することに決めたのだった。

昨夜三人は九時前には眠りについた。彼らは睡眠を取る必要がないが、特別やることもないので眠ることにしたのだ。

少年たちは、眠ろうと思えば一瞬で眠れる。どこかに電源を切るスイッチがついているかのようだ。

しかし不思議なことに、目覚める時は意思をコントロールできず、人間と同じくふと目覚めるのだ。

だからこの日三人は、昼前まで眠りっぱなしであった。

少年は寝床から出ると大きく伸びをした。昨日の大雨が嘘のように、この日の空は綺麗《きれい》に澄み渡っている。

なぜか少年は、気づけば昨日玖美から借りたビニール傘を握っていた。

「ねえねえ二人とも、玖美ちゃんの家に遊びに行こうよ！」

黄色い帽子の少年が言った。彼はよほど玖美のことが気に入ったらしい。

「どうせまだ学校でしょ」

赤いワンピースの少女が言った。何となくだが、彼女はまだ機嫌が悪い。

「じゃあ、学校まで行ってみようか」

「もう少しすれば、学校終わるだろ」

少年が諭すように言った、その時だった。

「あ、みんな！」

咄嗟《とっさ》に振り返ると、やはりそうだ。玖美であった。左手には昨日と同じように買い物袋が下がっている。

少年は、そうか、と納得した。

今日は土曜か日曜なんだな、と。

「今日も来てたんだ！　三人仲いいね。公園で遊んでたの？」

「これから玖美ちゃんの家に行こうと思ってたんだ」

黄色い帽子の少年が声を弾ませて言った。

「わあ、嬉《うれ》しい」

「また、お買い物？」

少年が尋ねると、

「そう、お昼ご飯と晩ご飯を買ってきたの」

「玖美ちゃんは偉いなあ」

黄色い帽子の少年が言った。

「全然そんなことないよ」

「それに、今日も可愛い洋服着ているね。玖美ちゃんはお洒落《しやれ》だね」

その瞬間、赤いワンピースの少女が黄色い帽子の少年をじろりと睨《にら》んだ。

「そんなこと、ないよ」

玖美は、自分が着ている真っ白いワンピースを見ながら、少し恥ずかしそうに言った。

「そうだ、これ、昨日の傘」

少年が傘を差し出すと、玖美はありがとうと言ってビニール傘を受け取り、

「ねえみんな、お昼ご飯食べてないでしょ？　私の家で食べない？　そのあと遊ぼ」

「私行かない！　遊ばない！」

赤いワンピースの少女が突然そう叫び、

「じゃあね」

走って公園を出て行ってしまった。

黄色い帽子の少年は、玖美と赤いワンピースの少女を見比べると、

「ああ、ちょっと待ってよお、どうしたんだよ」

と叫びながら赤いワンピースの少女を追いかけていった。

「私、何か悪いこと言っちゃったかな？」

心配する玖美に、少年は言った。

「さあ、別に気にすることないよ」

玖美が少年に縋《すが》るような声で言った。

「ねえ二人とも戻ってきてくれるかな」

「さあね」

「待ってた方がいいよね」

「俺は別にどっちでもいいよ」

「もうしばらく待って来なかったら、捜しに行こう」

少年は面倒だったので返事しなかった。

「遠くまで行ってなければいいけど」

玖美は心配そうに遠くの方を見つめる。しかしそれからすぐのことだった。

ベンチに座る少年に、玖美が言った。

「ねえ、いこ」

「え？　待つんじゃなかったの？」

「いいから、いこ」

玖美は少年が立ち上がる前に背を向けて、公園から出て行ってしまった。

少年は首を傾げながら玖美についていく。すると後ろから男の子の叫び声が聞こえた。

「あれ？　貧乏じゃねえ？　おーい貧乏、どこ行くんだ？」

振り返ると三人組の男の子が玖美を見て笑っていた。

「貧乏がよく買い物できるな」

「どうせ安いモンばっかだろ？」

玖美は無視し続けるが、男の子たちはしつこく、今度は貧乏コールを始めた。

「貧乏、貧乏、貧乏」

少年は、玖美の背中と三人の男の子たちを見比べると、なるほどな、と思った。

「おい、お前見ない顔だな？」

一人の男の子が少年に向かって言った。

「あいつ貧乏だから近寄らない方がいいぞ。お前まで貧乏になっちまうぞぉ」

別に俺には、貧乏とか裕福とか関係ないからね、と心の中で言うと、玖美についていった。

男の子たちは追いかけてはこず、貧乏コールが聞こえなくなると、ようやく玖美は立ち止まり、少年を振り返った。

慣れているのか、全然気にしてない素振りを見せ、

「ごめんね、嫌な想いさせちゃって」

「別に」

「この通り、私ね、学校でイジメにあってるんだ」

「そう」

「どうしてかって言うと、私にはお父さんとお母さんがいないの。いないって言い方も変だけど……」

「死んだんだね」

「うん、三年前に、交通事故でね。それ以来私、ずっとおばあちゃんと暮らしているんだけど、みんな私のこと、貧乏とか言ってイジメるの」

「ふうん」

「おばあちゃんは知らないフリをしているだけで、私がイジメられていること知ってるの。だから貧乏って言われないために、可愛い洋服とか、綺麗な洋服をいつも着させてくれるの」

「いいおばあちゃんだね」

「うん、私おばあちゃん大好き」

「とにかく、イジメなんて気にしないことだね」

「うん、全然気にしてない。でも正直言うといつも寂しくて、だから昨日、三人と友達になれたのがとても嬉しくて……」

恥ずかしそうに言う玖美に、少年は言った。

「いいよ、友達」

「え？」

「友達になってあげる」

玖美はホッとしたような笑みを見せると、

「ありがとう」

と言った。少年は少し照れくさそうに鼻をポリポリと掻《か》いた。

「ねえ、友達なんだからそろそろ名前教えてくれてもいいでしょ？」

「名前があるなら、とっくに教えてるよ」

「どういうこと？」

「俺には名前がないんだ、あの二人にもね。だから昨日言ったんだ、適当に名前つけてくれって」

少年は玖美の目を真っ直ぐに見つめそう告げたが、玖美はフフフと笑い、

「名前がないなんて、変わったこと言うのね」

少年は、人間には信じられるはずもないか、と思った。

「まあいいや、それより、あの二人どこへ行ったんだろうな」

少年は強引に話を変え再び歩き出した。

玖美は少し遅れて、

「ちょっと待ってよお」

と追いかけたが、すぐに足が止まり、名前を告げない少年の背中を、しばらく不思議そうに見つめていた。

赤いワンピースの少女の目に、時計台が見えてきた。

時刻は朝の九時半を回った頃だ。あれから二十二時間ほど経つが、疲れを知らない少女はそんな気がしない。

本当は時計台に戻る気はなかった。しかしなぜか足は時計台に向かっていたのだ。

少女は黄色い帽子の少年を思い浮かべ、

「あいつったら、あの子のことばかり褒めてさ」

あれから一日経つが未《いま》だに昨日のことを根に持ち、とても機嫌が悪い。

無論黄色い帽子の少年のことが好きだからではなく、玖美ばかりを褒めて自分を褒めてくれないからだ。

「私だって、私だって可愛いはずなのに」

赤いワンピースの少女はいつも使っている手鏡を手に取った。しかし、自分の姿を映すことなくポケットにしまった。

今、自分の身なりが汚いことを知っているからだ。

赤いワンピースの少女は『使者』の前に『女の子』であった。常に可愛らしい姿でありたいのだ。しかし、あまりに理想とかけ離れている自分が許せなかった。

少女は時計台から少し離れた、子供服を豊富に取りそろえるお店に入った。

その瞬間店員たちの視線を一気に感じた。月曜日のこんな時間に一人で入店したのもそうだが、それ以上に、顔や髪や洋服が汚いからである。

「いらっしゃい、ませえ」

少女は店員たちから向けられる怪しい視線を感じながら、女の子の服のコーナーへ行き、真剣な顔つきで可愛い服を探す。

たくさんの洋服を見ながら、

「私は嫌よ」

と少女は呟《つぶや》いた。

ゴミ捨て場等から洋服を拾ってそれを長く着ている少年たちの姿が頭の中をかすめたのだ。

「あ、これ可愛い」

少女の顔がガラリと満面の笑みに変わった。

少女が手に取ったのは、赤いワンピースだった。しかし今着ている物とは全然違う。少しスカートが短くて縁にはレースがついている。一目惚《ひとめぼ》れした少女は、

「これにしよう」

次に少女は靴のコーナーへ行き、すぐに黒いハイヒールが気に入り、手に取った。

ワンピースとハイヒールを手に、レジカウンターに歩を進めた。

しかし少女には服を買うお金がない。

少女は、お金を払うと見せかけて、レジを通り過ぎて自動ドアに向かった。いつものパターンである。

「お嬢ちゃん？」

自動ドアが開いた瞬間少女は駆けだした。

「あ、ちょっと！　待ちなさい！」

振り返ると、二人の女性店員が必死の形相で追いかけてきている。

少女は、どうせすぐに疲れて諦《あきら》めるだろう、と余裕の表情だった。

しかし、なかなか二人は諦めない。

「しつこいなあもう、これくらい、いいじゃないの」

少女はふと、街の人々の視線に気づいた。皆驚いた顔でこちらを見ている。

すると二人の女性店員が、人々に向かって叫んだ。

「誰か、誰かあの子捕まえて！　泥棒よ！」

面倒臭いことになったなあと少女は思った。人々の目つきが変わったのである。

すぐ先は大通りで、まだ青信号だ。

しかしタイミング悪く歩行者側の信号が点滅し、赤に変わった。

それでも少女は構わず横断歩道を突っ切った。

その瞬間だった。少女の存在に気づかなかった右折車が進入してきて、少女は車に撥《は》ね飛ばされたのだ。

街中に悲鳴が響いた。

運転していたのは若い女性で、車から降りてきたものの声をかけることすらできない状態であった。

二人の女性店員や、周りにいた人々もそうである。皆が固まってしまっていた。

そんな中、四十くらいのオールバックの男が少女に駆け寄った。

「お嬢ちゃん、大丈夫かい！」

少女は痛みも何もなく、赤いワンピースと黒いハイヒールを大事そうに抱えながら平然と立ち上がった。

街中は騒然となり、皆、恐ろしいものを見ているかのような目で少女を見ていた。

男は一先《ひとま》ず安堵《あんど》し、

「すぐに病院に行こう」

と言った。しかしすぐに男の表情と動作が停止した。

なぜなら、少女は身体中をすりむいているのに血が滲《にじ》んでもおらず、皮が剝《む》けているだけだからである。

「これは……！」

少女はふんとそっぽを向くと、その場から逃げ去った。

男は立ち上がり、逃げ去る少女の背を見つめる。

彼だけには、皆とは違う意味の驚きがあった。


岬第二小学校の時計の針が二時四十分を差すと、校内にチャイムが鳴り渡った。

少年は裏門の陰におり、玖美が出てくるのを待っていた。

しばらくすると、赤いランドセルを背負った玖美が走ってやってきた。

少年が姿を現すと玖美はとても嬉《うれ》しそうな表情を浮かべ、

「本当に来てくれたんだ」

弾んだ声で言った。

「うん」

学校が終わった後小学校の裏門で待ち合わせして、その後遊びに行こうと昨日約束していたのであった。

「あれ、ランドセルないけど、一度家に帰ってからきたの？」

「うん」

無論嘘だ。先《さつき》までずっと、寝床にしている公園にいたのだった。

「随分早いのね、本当に学校行ったの？」

「走ってきたから」

「そう」

「それより何して遊ぶ？」

少年が尋ねると、玖美はスカートのポケットから二百円を取り出し、それを少年に見せた。

「今朝ね、おばあちゃんがくれたの。二人で駄菓子屋にでも行って、お菓子買っておいでって」

昨日、遊ぶ約束をした時隣にいたおばあちゃんは何も言わなかったが、安心した表情を見せていたのを、少年は見逃さなかった。

「駄菓子屋、か」

もう二十年は行っていないな、と少年は心の中で呟いた。

昔は今と違って、自動販売機のお釣り口や、道端によくお金が落ちていて、拾ったお金でちょくちょく駄菓子屋に行っていたのであった。

「二百円じゃあまり買えないけど、いこ」

「うん、いいよ」

少年は玖美の後ろをついていく。その背中に、昨日玖美やおばあちゃんと過ごした時間が映った。

あの後結局二人の使者は見つからず、諦めた二人は玖美の家に行ったのであった。

おばあちゃんは心底嬉しそうに少年を迎えると、玖美から買い物袋を受け取り、お昼ご飯の準備を始めた。

少年は二人がお昼ご飯を食べ終わるまでテレビを観て待っているつもりだったのだが、おばあちゃんは少年の分までお昼ご飯を作り、三人で冷やし中華を食べたのであった。

その後玖美と二人で雑誌を読んだり、かくれんぼをして遊んだのだが、少年は昨日、二人と居て思ったことがある。

それは、二人の優しさは偽りではなかった、ということだった。

実は初めて家に行った時、玖美とおばあちゃんが、どこに住んでいるかも分からない見ず知らずの人間に対して親切に接するのは、何か変だ、もっと言えば、何か企《たくら》んでいるんじゃないかと思っていた。

でも違った。昨日、それを確信するような決定的な出来事があったわけではない。

でも、五十年間様々な人間を見てきた少年には分かるのだ。

二人は決して人を差別したり、見下したりはせず、どんな人間に対しても思いやりが持てる、純粋で綺麗《きれい》な心の持ち主だと。

無論二人だって完璧《かんぺき》な人間ではなく、どこか心に欠点はあるだろう。でも確かなのは、今まで見てきた人間とは明らかに違うということだ。

だからもう少し二人と一緒に居てみようかなと少年は思い、次の瞬間少年は二人の『残り時間』を意識し、二人があと何年生きられるかを計算した。

玖美は、あと約七十二年間。

おばあちゃんは、あと十七年近く生きられる。

それを知った少年は、無意識のうちに安堵していたのだった……。

「ここがそう」

いつしか玖美の言う駄菓子屋に到着しており、

「さあいこいこ」

玖美は少年を手招きしながらお店に入った。

店内は三坪程と小さく、レジには誰もいない。

レジの先には襖《ふすま》があり、微《かす》かに開いている。

奥を覗《のぞ》いても誰もいないが、どうやら店と住居がつながっている様子だった。

「お菓子選びましょ」

「うん」

棚にズラリと並ぶお菓子を見て少年は、昔と随分変わったな、と思った。

しばらくすると奥から一人の男性が出てきた。七十後半と思われるが、肌艶《はだつや》がよく、健康的な体つきをしている。

男性は玖美を見るなり、

「ああ玖美ちゃん、いらっしゃい」

しわがれた声で言った。

「こんにちは、おじいちゃん」

「その子は、友達かい？」

「そう、名前は……」

玖美が少年の横顔を見た。

「ねえ、どうしたの？」

玖美に袖《そで》を引っ張られた少年はハッとなり、

「ううん、何でもない」

と言って、籠《かご》の中に百円分のお菓子を入れた。

少しして玖美も買うお菓子が決まり、玖美が店主に二百円を払い、二人は店を出た。

「ねえ、これから私の家に行って、お菓子食べよ」

「うん、それより」

「どうしたの？」

「残念だけどあのおじいちゃん、二日後に死んでしまうよ」

少女は一瞬驚いたが、

「何言ってるのよ、そんな縁起でもないこと言っちゃだめなんだよ。そういう冗談はダメ！」

顔を赤くして少年を叱った。

「ごめん」

少年は謝った後、まだ店内にいる男性を見た。

残り『187089』秒。

つまり、残り約五十二時間。

間違いなく男性は二日後に死ぬ。


一方その頃黄色い帽子の少年は時計台の下におり、ポータブルゲーム機で遊んでいた。

玖美のことを一目見た瞬間から気に入った黄色い帽子の少年であったが、何だかんだで赤いワンピースの少女のことが心配で、あれから岬村を捜し回った。

しかしいくら捜しても見つからず、もしや時計台に戻ったのではないかと思い、今日の昼前にここに到着したのだが、残念ながら彼女の姿はなく、それからずっとゲームをして待っている。

突然、少年の目の色が変わった。

今少年がやっているゲームは、四方八方から襲いかかってくる敵を様々な武器で豪快に倒していくゲームなのだが、もう少しで点数が記録更新しそうなのである。

記録を意識した瞬間から玖美や赤いワンピースの少女の存在は消え、小さな画面に釘付《くぎづ》けになった。

「おりゃ、おりゃあ!」

まるで自分が戦っているかのように声を出しながら主人公を操作する少年はライフゲージをちらりと見た。

ライフはまだある。記録更新は確実であった。

そう思った矢先である。

目の前に誰かが立った、と思った刹那《せつな》ゲーム機を取られてしまったのだ。

「ああ!　何するんだよぉ」

ゲーム機を奪ったのは八十近くの見知らぬ老婆だった。

乱暴な行動とは裏腹に、着物を綺麗に着こなした老婆は顔立ちにも品があり、見るからに優しそうな雰囲気であるが、黄色い帽子の少年を見下ろし、

「何するんだよぉ、じゃないよ。ここにいたんだね。遊園地で遊びたいのかい？　分かった、今度連れて行ってあげるよ」

「え？　どういうこと？」

聞き返すと老婆は少年に右手を差し出し、

「さあ帰るよ、直弥《なおや》」

と言った。

黄色い帽子の少年は益々《ますます》困った。

「直弥？　それ誰？　間違えてますよ」

「何ボケたこと言ってるんだい直弥」

「僕、直弥って名前じゃありません。それよりゲーム機返してくださいよぉ」

「これのことかい？　お家に帰って宿題やったら返してあげるよ」

「宿題？」

「いつまでも惚《とぼ》けてるんじゃないよ直弥。さあ帰るよ」

黄色い帽子の少年は強引に手を摑《つか》まれ引っ張られた。

「ちょ、ちょっと待って！」

「待ってじゃない。遊園地はまた今度。すぐに連れて行ってあげるから」

「遊園地？　いやそうじゃなくて、僕は直弥でも何でも」

「はいはい分かりましたよ」

何を言っても老婆には通用せず、ならばと少年は手を振りほどいて逃げようと思ったが老婆は意外と力強く、いくら抵抗しても無駄であった。

結局黄色い帽子の少年は諦《あきら》め、訳が分からぬまま連れて行かれたのだった。

老婆はすぐ先のバス停でバスに乗り込み、一番前の席に座った。依然少年を逃がすまいと力強く手を握りしめているが、表情はとても幸せそうである。

黄色い帽子の少年は、老婆のお腹のあたりをちらりと見た。

着物と帯の間に、ゲーム機があるからである。

少年はこっそり取り返そうと思ったが、止めた。

その前にこの手をどうにかしなければならない。仮に強引に振りほどいても今はバスの中だ。すぐに捕まるのは目に見えている。

バスから降りて身体が自由になった時、ゲーム機を取り返して、こっそり逃げようと少年は思った。

しかしとんだ災難だな、と少年は溜息《ためいき》を吐いた。

直弥とは、恐らく老婆の孫だろう。

未《いま》だに人違いだと気づかないということは、よほど似ているんだろうなと少年は思った。

「まあいっか」

黄色い帽子の少年は思わずそう呟《つぶや》くと、ふと老婆の横顔に視線をやり、初めて頭上を見た。

老婆に残された時間は、『765497101』秒。

計算はしないが、まだまだ長く生きられることを知った。

「よかったね、おばあちゃん」

少年が優しくそう囁《ささや》くと、老婆に聞こえたらしく、

「何がよかったんだい？」

少年はハッとなり、

「う、ううん、何でもない」

と言って誤魔化した。

その後二人に会話はなく、

『次は吉野《よしの》、吉野』

運転手がそう告げると、

「直弥、行こうか」

と言って老婆は立ち上がり、少年も素直に立ち上がった。

バスから降りると老婆は、先《さつき》とは打って変わってゆっくりとした足取りで家に向かっていく。

五分ほど歩いたろうか、老婆は『樋口《ひぐち》』と表札がかけられた平屋の前で足を止め、玄関扉を開けた。

灯《あか》りがついていたので、少年はてっきり『直弥』という子の両親がいるものだと思ったのだが、誰も出てこない。おかえり、という声すら聞こえてこないのだ。

老婆が靴を脱ぐ時、ようやく手を離してもらえた少年は一先《ひとま》ず安堵《あんど》した。

あとはゲーム機を取り返すだけだ、と思った。

一応少年も靴を脱ぎ、家に上がった。

玄関のすぐ先には小さな居間があり、まず目に付いたのは黒いランドセルだった。

テレビやテーブルやソファは新しいのに、ランドセルだけはもの凄《すご》い年季が入っているからである。しかし、埃《ほこり》は一切被《かぶ》ってはいない。ぴかぴかでとても大切にされているような感じであった。

少年はふと居間の奥の部屋が気になった。今は襖《ふすま》がしまっているので中の様子は分からないが、きっと『直弥』という子の両親が昼寝でもしているのだろう。

廊下でうろちょろしていると、

「直弥、家にいる時は帽子とりなさい」

と叱られた。

「は、はあ」

少年が黄色い帽子を脱ぐと、

「直弥、早速宿題やりなさい」

「宿題って言ったって……」

少年は坊主頭をポリポリと掻《か》いた。

「それと直弥、今日の晩ご飯は何が食べたい？」

と聞いてきた。一緒に食事するつもりはなかったが、

「別に、何でもいいですよ」

と答えておいた。

すると老婆はこう言ったのである。

「じゃあカレー作ろうか。直弥、お母さんのカレー大好きだもんね」

少年の坊主頭を撫《な》でながら当たり前のように言ったが、少年は混乱した。

「お、お母さん？」

思わず大声を出してしまったが老婆は振り返りもせず、庭の方へ行くと扉を開け、

「シロ、ただいま」

と言った。

「シロ？」

少年はこっそり老婆の後ろに立ち、覗《のぞ》くようにして庭を見た。

小さな庭には犬小屋があり、中に白い中型犬がいた。

どうやら老犬らしく、起きてはいるが全然元気がない。

少年には犬の残り時間は見えないが、もう長くないような気がした。

その時ふと、犬にも時間を与えられるのかなあと少年は思った。

もっともそれが可能でも、少年には残り『86400』秒しかなく、シロが明日死ぬ運命だとしても、それほど時間を与えることはできないのだが……。

「シロ、あとでご飯あげるからねえ」

老婆が声をかけてもシロは全く反応しなかった。

「よし、じゃあご飯作ろうかね」

張り切る老婆は後ろに少年がいたことに気づくと、

「何ぼけっと立ってるの、早く宿題やりなさい」

「いや、あの」

老婆はお腹にあるゲーム機を取り出すと、

「これを返してほしいんだろう？」

「はい」

「だったら」

今度は居間に向かい、小さな本棚から数冊の教科書を取りだし、庭の前に立つ少年に手渡した。

「早く宿題やるの！　勉強しないと立派な大人になれないんだよ」

少年はすぐに違和感を抱いた。教科書は明らかに現代の物ではないからだ。

恐らく数十年も前の物であろう。使い古された感じはないが、ひどく黄ばんでしまっている。

「お母さんはご飯作るからね、それまでに終わらせるんだよ！」

老婆は台所に向かったらしく、少年が今いる場所からは見えないが、晩ご飯の準備をしているのが分かる。

少年は居間に入ると、教科書を小さなテレビの上に置き、様々な疑問を抱いた。

しかし当然謎が解けるはずもなく、少年はふと先ほど気になった居間の奥に目をやった。

何となくだが、この奥に誰かがいるような気がするのである。

少年は老婆に気を配りながらそっと襖を開けた。

しかし、部屋は真っ暗で見る限り誰もいない。

奥の部屋も居間と同様に小さな和室になっていて、まず最初に目に付いたのが小さな仏壇だった。

仏壇には遺影の他に写真が三枚ほど飾られていて、どれも白黒である。

少年は灯りをつけ、仏壇に歩み寄る。

段々、遺影に写っているのは子供であることが分かり、少年は、遺影に手を伸ばした。

しかし遺影を手に取る寸前少年は固まった。

遺影に写っているのは、自分自身だったからである。


遺影を見つめながら少年はしばらく固まっていたが、違う、と首を振った。

あまりに似ているから自分が写っているように思ってしまったが、違うのだ。

自分はあくまで人間に時間を与える『使者』なのである。

遺影を仏壇に戻すと、三枚の写真を手に取った。

どれも白黒で、若い頃の老婆と『直弥』という子が一緒に写っている。

公園で撮ったと思われる一枚は、偶然にも少年がいつも被っている黄色い帽子と形がそっくりの帽子を『直弥』という子も被っているのだった。

少年は写真を仏壇に戻すと台所へ行き、夕食の準備をする老婆の背中を見つめた。

少年はこの五十年間で、たくさんの認知症患者を見てきたが、老婆は認知症とは少し違う気がする。

早くに子供を亡くした老婆はショックが大きすぎるあまり、もしかしたら脳に異変が生じたのかもしれない。

きっと老婆が今見ている世界は、『直弥』が生きている頃のままなのだ。

それ故に老婆は一生気づかないであろう。目の前にいる子が、『直弥』ではないということに。

そう思うと少年はとても複雑な気持ちになったのだった……。


それからしばらくすると、台所から老婆の声が聞こえてきた。

「直弥、ご飯できたわよ、いらっしゃい」

畳の上で老婆のことを考えていた少年は立ち上がり、台所に向かった。

小さなテーブルにはカレーとサラダとお味噌汁《みそしる》が並べられていた。

「手洗って」

少年は素直に手を洗うと席に着いた。

「宿題は終わったのかい？」

「は、はい」

「そう、じゃあ食べようか、いただきます」

少年は戸惑いながらも、

「いただきます」

と言って一口食べた。

とても甘くて美味《おい》しいカレーだ。

「どう直弥」

「おいしい、です」

「一杯食べて大きくなるんだよ」

少年は老婆に気を遣っておかわりをし、

「ごちそうさまでした」

と言って皿を台所に運んだ。

「ありがとう直弥、お風呂《ふろ》沸いてるから入りなさい」

「え、お風呂？」

「あんた、今日はお風呂入らないとダメだよ。友達に臭いって言われちゃうよ」

「はい……」

風呂場は台所の隣にあり、狭い脱衣所で服を脱いだ少年は湯につかった。

すぐに出ると許してもらえそうにないので、一応十五分ほど風呂場にいたが髪も身体も洗わず風呂場を出た。

すると脱衣所にはパジャマが用意されており、仕方なくそれに着替えて脱衣所を出ると、仏壇のある和室に布団が敷いてあった。

いつの間にか老婆は着物からパジャマに着替えており、

「直弥、明日も学校なんだからもう寝なさい。お母さんこれからお風呂入ってくるからね。こっそりテレビ観ちゃだめだよ！」

少年は素直に返事をしたが、老婆が風呂に入ったのを確認すると、ゲーム機を探し始めた。

しかしなかなか見つからない。

結局、見つける前に老婆が風呂から出てきてしまったので、少年は仕方なく布団に入った。

困ったことになったなあと少年は思った。

「まあいっか」

明日《あした》ゲーム機を探して、こっそりさよならしよう。

気づけば朝を迎えていて、台所から老婆の声がしていた。

「直弥いつまで寝てるんだい、起きなさい、学校に遅刻するよ！」

「学校って言ったって……」

少年は一応自分が使った布団を畳み、台所に向かった。

台所では老婆が朝ご飯の準備をしていて、

「おはようございます」

と挨拶《あいさつ》すると、背を向けたまま、

「おはよう、さあご飯できたよ、食べなさい」

「はあ……」

少年が席に着くと、白いご飯と卵焼きと焼き魚とお味噌汁を並べてくれた。

少年は困惑しながらも、

「いただきます」

と言って朝ご飯を全て食べた。

「直弥、片付けはいいから学校行く支度してきな」

少年は素直に返事したが、老婆が見ていぬ隙にゲーム機を探した。

しかしすぐに居間に老婆がやってきて、少年は咄嗟《とっさ》にテレビの上に置いてある、黄ばんだ教科書を手に取った。

「ほら直弥、何チンタラしてるんだ、学校遅刻するよ！」

「いや、あの、学校って言っても……」

少年は何とか学校から違う物に意識を向けさせたいがこの様子だと老婆には通用しそうになかった。

老婆は年季の入ったランドセルを手に取ると、

「ほら、ランドセル持って」

強引に少年にランドセルを背負わせた。そして有無を言わさず玄関に連れて行き靴を履かせると、

「行ってらっしゃい、ちゃんと勉強してくるんだよ！」

と言って、扉を閉めてしまったのである。

外に追い出されてしまった少年は背負っているランドセルを一瞥《いちべつ》すると、

「困ったなあ」

深い溜息《ためいき》を吐いた。

今戻っても叱られて再び追い出されてしまうのは目に見えており、仕方なく歩き出した。

無論学校になんて行けるはずもなく、少年は公園を見つけるとベンチに座り、時間

言うと、再び大きな溜息を吐いたのだった。

「ああ、せめてゲームがあればなあ」

ゲーム機を見つけていれば、こんな所にはいなかったんだけど、と心の中で少年は潰《つぶ》すことにした。

翌日のことである。

岬村で駄菓子屋を営む店主、青田《あおた》紀雄《のりお》が家で突然倒れ、救急車で隣町の総合病院に運ばれたが午後六時五十八分、間もなく死亡した。

死因は脳梗塞《のうこうそく》であった。

店主の死は、少年からしてみれば当然のことであるが、玖美には信じられない出来事であった。

店主が突然死んだのもそうだが、何より少年が言ったとおりになったのである……。

その翌日、いつものように二人は学校の裏門で待ち合わせをした。

玖美は少年を見るなり複雑な表情を見せたので、少年は玖美との別れの予感を抱いた。

玖美は一言も口を開かず、自宅の方へと歩いて行く。少年はその後ろを付いていった。

てっきりおばあちゃんの待つ家に帰るものだと思い込んでいたが、玖美は少年が生活している公園に入り、ブランコに座った。

少年はどうしようかと迷ったが、その隣に座る。

すると玖美がやっと口を開いた。

「駄菓子屋のおじいちゃん、本当に死んじゃった」

今にも泣きそうな声で言った。

「うん、仕方のないことだよ、あの人の運命なんだ」

玖美は少年を一瞥すると、俯《うつむ》きながら尋ねた。

「どうして、おじいちゃんが死んでしまうのが分かったの」

「どうしてって、分かるからさ。俺には玖美たちとは違って、人の『死ぬまでの時間』が分かる、特別な力がある」

それ以上は、言わなかった。

「人の、残り時間？」

「そう、実際そうなっただろう？」

「特別な、力……」

「俺のことが怖くなったかい？」

玖美は顔を上げると首を横に振った。

「ううん、私、後悔しているの」

少年には意外な言葉であった。

「後悔？」

「だってあの時信じていれば、おじいちゃんを助けてあげられたかもしれないでしょ？」

「たとえ死の危機を告げたとしても、運命は変えられない」

運命を変えられるのは『使者』だけなんだと、少年は心の中で言った。

玖美は一瞬残念そうに俯いたがすぐに顔を上げ、

「でも、おじいちゃんみたいに突然死んでしまうってことはなくなるじゃない。つまり、ええと、何て伝えたらいいのかな、例えば寿命が分かっていたら、やりたいこととか、やり残したことをやれるというか……」

少年は表情には出さないが、心の底から驚いた。玖美が心の優しい持ち主だということは知っているが、まだ十一歳の子供である。そんな子供がそこまで考えられるとは思ってもいなかったからだ。

「ねえ、本当の本当に、人の『残り時間』が分かるの？」

「ああ、分かるよ」

「それなら明日から村の人たちに会いに行こうよ」

「会いに行く？」

「そう、それでもし、駄菓子屋のおじいちゃんみたいに時間が少ない人がいたら教えてあげるの」

「誰も信じやしないよ。それどころか、村にいられなくなるかもしれない」

「だったら直接言わずに、分からないように伝えてあげればいいじゃない。例えば、手紙とか」

「それでも信じないよ」

「けれど、放っておくこともできないでしょう？」

少年はこの時、玖美らしいなと思った。

「お願い、みんなの為に」

少年はしばらく考えた末、

「分かったよ」

願いを聞き入れた。すると玖美はブランコから降り、

「ありがとう、本当にありがとう」

心からお礼を言ったのだった。

少年もブランコから降り、

「いいよ別に。さあ帰ろうか」

と言った。

「うん」

少年は玖美の背中を見ながら呟《つぶや》いた。

「みんなの為……」

自分よりも玖美の方がよっぽど『使者』らしいな、と思った。


翌日、少年と玖美はいつものように学校の裏門で待ち合わせすると、早速岬村に住む人々の『残り時間』を見て回った。

玖美は大人子供問わず、村民を見つけると気づかれぬよう指を差し、少年の耳元で、

「あの人はどう？」

と聞く。

「まだ全然大丈夫」

少年がそう答えると、玖美は心底安堵《あんど》した表情を見せるのだった。

この日は学校が終わってから六時まで村を回り、どれくらいの人を見たであろうか。

幸い死がそこまで迫っている者は一人もおらず、この日は六時半に別れた。

少年は家に帰ると言ったが、いつものように玖美の家の近くの公園に行き、寝床にしている土管の遊具の中で仰向《あおむ》けになった。

この日玖美と一緒に村を回った訳だが、実は一つ疑問を抱いていた。

なぜ玖美は、自分やおばあちゃんの寿命を聞かないのだろうか。

「まずはみんなの為に、かな」

そう結論づけた少年は、それから三十分もしないうちに眠りについたのだった。

次の日は土曜日で学校が休みだったのでお昼に玖美の家に行き、おばあちゃんにお昼ご飯をご馳走《ちそう》になった後、まだ見ていない村民たちを見て回った。

少年は、昨日の疑問を直接玖美に聞いてみようと思うが、なかなか聞くタイミングが見つからず、結局聞けぬまま気づけば空には夕闇が迫っており、別れることになった。

「じゃあ、また明日」

少年は玖美に背を向け歩き出す。

その直後だった。

「待って」

呼び止められて振り返ると、玖美がクスクスと笑いながらやってきた。

「何が、おかしいの？」

玖美はううん、と首を横に振るとこう言った。

「いつまで経っても名前教えてくれないから、私ずっとあだ名考えてたの。で、今決めた！」

「あだ名？　何」

「テクちゃん」

あまりに想像とかけ離れたあだ名だった故に少年は一瞬反応が遅れた。

「テク、ちゃん」

「そう、一緒に歩いている時思ったの。テクテク歩いてる姿が可愛らしいって。だからテクちゃん」

「もう少し、何かこう」

「いいの！」

玖美は少年を遮り、

「テクちゃんに決まり！　私もう気に入っちゃったもん」

「でもなんか」

「ばいばいテクちゃん、また明日ね」

玖美は満足そうな笑みで手を振ると、家に帰っていった。

少年も玖美に背を向けるが、その場に立ち止まったままである。

「テクちゃん、か」

玖美には不満そうな様子を見せていたがそれは照れ隠しであり、本当は嬉《うれ》しかった。この五十年間、人間たちにはたくさんのあだ名を付けられたが、全て悪意のあるものであった。

泥棒、不潔小僧、ホームレス、幽霊、ゴミあさり、まだまだたくさんある……。だから少し不恰好《ぶかっこう》でも、玖美が真剣に考えてくれた『テク』という名前が嬉しかったのだ。

少年はクスと笑って歩き出した。

「テクちゃんか。そんなに歩き方、可愛いかな?」

昨日の少年は公園に着くとすぐに眠りについたが、今夜は日付が変わっても、玖美のことを考えていたのだった。

時計台の近くにある洋服店で新しい赤いワンピースと黒いハイヒールを盗んでからまだ一週間も経っていないが、少女は時計台の下で堂々と手鏡を眺めていた。

その鏡に映る赤いワンピースの少女はとても不機嫌であった。

少女は、洋服と靴が新しくなったことは満足しているが、髪がぼさぼさであること

と、汚い爪に不満を抱いているのだった。洋服やアクセサリー等は盗めばいいが、髪や爪はお金がなければ綺麗《きれい》にはできない

少女は癖毛であり、梅雨の時期は特にセットが決まらない。もっとも、セットと言ってもドライヤーはなく、盗んだ櫛《くし》とヘアバンドを使うだけなのだが……。

少女は、お洒落《しゃれ》な美容院に行ってみたいと思う。

髪の毛は伸びないから切る必要はないが、ストレートパーマを当てて、可愛くセットしてもらいたい。

爪も同様にネイルサロンに行って綺麗にしてみたい。

髪の毛と爪が可愛くなれば完璧《かんぺき》なのに……。

少女はいつしか街中を歩く女性たちを目で追っていた。

みんな髪も爪も綺麗にしている。悔しいが、みんな可愛い。

「いいなぁ」

少女はもう一度鏡を顔に持っていくが、顔を映す前に手を下ろした。

可愛い女性たちを見た後自分を見たら、何だか惨めになりそうだからだ。

珍しく溜息《ためいき》を吐いた。

その直後だった。

遠くの方から女性の声が聞こえてきた。

「こら、めぐみ！　走っちゃだめよ！　待ちなさい！」

声の方に視線を向けると、四、五歳くらいの女の子が母親の言うことを無視して全力で走ってくる。

「そんな速く走ったら転んじゃうわよ！」

母親の言うとおり、女の子はバランスを崩して少女の目の前で転んだのであった。

足をすりむいた女の子はビービーと泣いた。

周りにいる大人たちは勿論《もちろん》女の子が転んだことに気づいているが誰も助けない。

少女は、正直言うと小さな子供があまり得意ではないが放っておくこともできず、

「大丈夫？」

と声をかけて起こしてあげた。女の子はただ泣くだけで、少女は耳を塞《ふさ》いだ。

間もなく母親がやってきて、

「ありがとうお嬢ちゃん」

とお礼を言った。

少女は頷《うなず》くと時計台の下に戻り、気づけば鏡を見ながら髪の毛をいじっていた。

それからすぐのことであった。一人の男性が目の前に立ち止まり、何だろうと思い顔を上げると、

「ここにいたんだね」

と声をかけられた。

少女はすぐに思い出した。

六日前、大通りで車に撥《は》ね飛ばされた時即座にやってきた四十くらいの男だった。

あの時と同様男は髪の毛を後ろになでつけている。その上には、『1356045789』という数字が見えた。

「ずっとお嬢ちゃんを捜してた。怪我の方は大丈夫かい？」

男は、六日前少女が怪我した部分を見ながら言った。すっかり皮は元通りである。

少女はあの時と同じようにそっぽを向いて男から逃げた。しかしこの前とは違いすぐに手を摑《つか》まれ、

「待ってくれ、おじさんの話聞いてくれよ」

「何？」

口を尖《とが》らせて言った。

「私の名前は宮田《みやた》孝一《こういち》」

「だから何」

「お嬢ちゃんの名前は？」

「名前なんてないわよ」

一瞬宮田の動作が止まったが、驚いた様子ではなかった。

「ない……」

「それより何、馴《な》れ馴《な》れしい。洋服だったら返さないわよ」

「そうか、やっぱりその服盗んだんだな。でも心配しなくていい。別にお嬢ちゃんを警察に連れて行こうなんて考えてないから」

「じゃあ何よ」

「突然なんだが、おじさんのお願い聞いてくれないかな」

少女は宮田に怪しむような目を向け、

「お願い？」

「そう、その代わりお嬢ちゃんの願いも叶《かな》えよう」

そう言われた途端、

「私の、願い？」

少女の声色が少し変わった。

「お嬢ちゃん、髪の毛切りに行きたいんじゃないかい？」

「ちょっと違うけど、何で分かるの？」

「わかるさ、さっきからずっと髪の毛をいじっては溜息を吐いていたからさ」

美容院に行けると分かった瞬間少女の目が輝いた。

「美容院に行きたいんだけど、連れて行ってくれるの？」

「ああ、嘘はつかない」

「じゃあ、ネイルもやりたいんだけど、いい？」

どさくさに紛れてお願いすると、宮田は少し面食らった様子であったが、

「ああいいよ、その代わりおじさんのお願いも聞いてくれよ？」

「分かったよ、早くいこ」

少女は宮田の袖《そで》をぎゅっと握ると、桜木町駅の方へと引っ張っていった。


二人は桜木町の駅ビルに向かい、五階にある『クロノス』という美容室に入った。少女が行ってみたかったお店だ。

スタッフは全員若く、店内もスタイリッシュな造りである。

まだ午前中だが客は五人おり、全員若い女性で皆雑誌を読んでいる。

その姿が何だかかっこよくて、少女はついつい見とれてしまったのだった。

宮田が、受付に立っている女性に言った。

「予約してないんだけど、大丈夫ですか？　この子なんだけれど」

「はい、すぐにできますよ」

少女は宮田を見上げると、うんと頷いた。先《さっき》までの態度とは大違いである。

「じゃあ、私はあそこで待ってるから」

宮田は入り口付近にあるソファを指さした。

宮田が少女に対し、『私』と言ったものだから、案内するスタッフが首を傾げた。

「こちらへどうぞ」

少女は受付の隣の席に案内されて、間もなく、カット担当の女性スタッフがやってきた。

「お名前は？」

「ない」

少女の言葉に女性スタッフは一瞬困惑した様子を見せたが、

「面白い子」

と笑った。

「だって、ないもん」

真顔でもう一度言うと女性スタッフは愛想笑いを浮かべ、

「一緒に来てくれるなんて、お父さん優しいわね」

と言った。

「よかったね」

「あれ、お父さんじゃないよ」

そう答えると女性店員はいよいよ面倒臭いと思ったらしく、

「今日は、どんな感じにしますか？」

と要望を聞いてきた。

「髪はあまり切らなくていいの。ストレートパーマをあてて、とにかく可愛らしくセットしてほしいの」

幼い子供の要望とは思えず、女性スタッフは苦笑いを浮かべ、

「分かりました」

と返事すると一旦《いったん》その場を離れた。

間もなく、パーマ担当の男性スタッフがやってきて、少女の長い髪にパーマ液を塗っていく。少女は緊張した面持ちで様子を見守った。

一時間後、少女の髪は見違える程真っ直ぐになり、少女は自分の鏡に映る、艶《つや》のあるストレートをうっとりと眺めた。

「すごい、こんなさらさらになるんだ」

宮田が嬉《うれ》しそうに少女を眺めており、その姿が鏡に映っていたが、少女は自分の姿に夢中で、カット担当のスタッフがやってくるまで髪の毛を触ったり、色々な角度を向いて自分の髪を見つめたりしていた。

女性スタッフは最初の要望通り少女の髪の毛はあまり切らず、前髪を作るとドライヤーを手に取った。そして幼い女の子らしく内巻きカールを作り、完成すると軽くスプレーを当てた。

「どうですか？」

少女は鏡に映る自分を見つめながら、満足そうに頷《うなず》いた。

席を立って宮田のところへ行くと、

「とても可愛くなったね、似合っているよ」

少女にとって一番嬉しい言葉であった。

「ほんと？　でもまだよ、次は」

「分かってる分かってる、ネイルだろ」

少女は美容室を出ると宮田の袖を引っ張って、同じ五階にある、『キュートショコラ』というネイルサロンに入った。

美容室の時と同じように宮田が受付の女性にすぐやってもらえるかと尋ね、五分後少女は席に案内された。

担当の女性スタッフが向かいの席に座り、

「こんにちは、今日はお誕生日か何かですか？」

と聞いてきた。少女は首を横に振り、

「私に誕生日はないの」

と答えた。

ちょうどその時後ろに宮田がおり、宮田と女性スタッフは顔を見合わせた。

「ええと、今日はどんな感じにしますか？」

少女は髪の毛とは違いイメージがわかず、迷っていると女性スタッフが見本を出してきた。

見本は百種類近くあり、選ぶのに三十分近くも費やした。

少女が選んだのは、スワロを用いた花柄のネイルだ。

準備が整うと、少女は女性スタッフに右手を差し出し、落ち着かない様子で作業を見つめる。

地味で汚かった爪に様々な色のジェルが塗られ、少しずつ、綺麗《きれい》でお洒落《しやれ》になっていく。

二時間後作業が終わり、少女は完成した爪を眺めた。

十本の爪に、まるで花が咲いたようであった。指を揃えると、まるでお花畑のようだ。

少女は目をきらきらとさせ、

「嬉しい、こんなの初めて」

と感動の声を上げた。

席から立ち上がると宮田の所へ行き、

「どう？　ほら綺麗でしょ？」

思わず感想を聞いていた。宮田はうんうんと頷き、

「爪も可愛くなった。よかったね」

優しい笑みでそう言った。

宮田はすでに料金を支払っており、お店を出ると少女に言った。

「さて、お嬢ちゃんの願いは叶《かな》えた。本当は交換条件、はしたくないんだが、おじさんのお願いきいてくれるかな？」

少女はすっかり忘れており、目を細めながら、

「おじさんの願いは何よ」

と尋ねた。

「おじさん、実はこう見えて医者なんだ」

「へえ」

「この近くで内科医をやっていてね」

「それが？」

宮田の顔つきが急に真剣なものに変わった。

「おじさんの病院にきてくれないかな」

少女の頭を、再び六日前の事故が過《よ》ぎる。

少女は迷わず答えた。

「別に、いいわよ」

自分が人間ではないことを、隠すつもりはないからだ。


桜木町駅から十分ほど歩くと商業地からマンション街へとガラリと変わり、その中で一際目立った高層マンションの一階に『宮田内科クリニック』と綺麗な看板が立てられてあった。

「あそこがおじさんの病院だ、今日は休診でね」

そう言えば今日は日曜日だったわね、と少女は思った。

宮田は自動ドアの重いガラス扉を両手で開け、入り口の灯《あか》りをつけた。

「さあ、おいで」

少女は髪をいじったり、爪を眺めながら宮田に付いていく。少女は自分の身体を調べられるよりも、未《ま》だ自分が可愛く変身したことの方が重要であった。

診察室に連れて行かれ、少しの間一人で待たされた。

宮田は白衣姿で診察室に現れ、首には聴診器をぶら下げている。少女はこの時初めて、宮田が医者らしく見えたのだった。

宮田は少女の前に腰掛けると、真剣な顔つきで言った。

「これから、少し診察させてもらうけどいいかな？」

「別に、いいよ」

宮田はその後少女に診察内容を告げると、まず最初に聴診器を少女の胸にあてた。

その瞬間宮田の眉《まゆ》がピクリと動き、それからしばらく動作が停止するが、大きく息を吐くと聴診器の位置を変え、納得したように頷いた。

次に宮田は少女のレントゲン写真を撮り、それが終わると今度は血液検査の準備を始めた。

宮田は少女を向かいに座らせると緊張した面持ちで右腕に注射針を刺した。

しかしもう宮田は驚くことはせず、静かに目を閉じたのであった。

全ての診察が終わると、宮田は深刻とも、落胆とも言えぬ複雑な表情で診察室を出て行った。

少女はその間、髪も爪もいじらず、じっと宮田が帰ってくるのを待った。

しばらくして宮田が診察室に戻ってきたのだが、先《さっ》とは打って変わって、心の鉛が取れたような、穏やかな表情であった。

宮田は少女の向かいに座ると言った。

「お嬢ちゃん、今日は本当にありがとう」

少女は、はいともいいえとも返事をしなかった。

「きっと、お嬢ちゃんを診察した医者は、いや医者だけに限らず、お嬢ちゃんの身体の仕組みを知った者は冷静ではいられないだろう。

僕も最初は驚いたよ。でもその驚きは普通とはちょっと違う」

「意味が分からない」

「実は二十年程前、まだ私が大学で医術の勉強をしていた頃だ、一週間前と同じような出来事に遭遇した。

十歳くらいの男の子が、大通りでトラックにはねられたんだ。恐る恐る目を開けると、地面には倒れた男の子と、男の子の右腕が転がっていた。私は男の子の姿を見た瞬間、もう駄目だと思ったよ。でもすぐにおかしなことに気がついた。男の子の身体やちぎれてしまった右腕からは一滴も血が流れていなかったんだ。そう、まるでマネキンの腕を外したかのようにね……。

有り得ない状況に私はただただ混乱するばかりだったんだが、その直後だった。私はまたも自分の目を疑った。

死んだと思ったはずの子供が、全く痛みを感じていないように普通に立ち上がったんだ。そして何事もなかったようにどこかへ走り去っていったんだ。

あの時は本当に驚いた。でもそれから十年後、もっと驚くことがあった。

偶然にもその子供を街中で見かけたんだ。右腕がなかったから間違いない。十年も経っているのにその子は全然成長していなくて、むしろこちらが時間を戻されたような感覚だった。

私はあの出来事以来ずっと考えてきた。なぜあの子はあんな事故に遭っても助かったのか、十年経っても全く同じ姿なのか。無論答えは出なかった」

宮田はそこで一旦《いったん》言葉を切ると大きく息を吸い込み、少女の目を真っ直ぐに見て言った。

「でもやっと今日答えが出た。医者である私がいくら悩んでも答えが出ないはずだよ。なぜなら医学の常識を超えていたからだ。

人間は、いや人間に限らず動物は全て、心臓があり、骨があり、そして血が流れている。

そうでなければ生きていけないのだ。

でもお嬢ちゃんには、心臓も、骨もないし、血も流れていない。

常識では考えられないが、事実そうだったんだ。つまり」

「人間じゃないからね、私も、その子も」

少女は宮田とは対照的にあっけらかんと言った。

「信じられないが、そういうことなんだな」

少女は宮田の顔を見て言った。

「珍しい、怖がらないのね」

「怖くなんてないさ。むしろ、ドキドキしている」

その言葉が少女には意外だった。

「君たちは、未来からやってきたのか」

「分からない。気づいたらあの時計台の下にいて、気づいたらもう五十年も経っちゃった」

「五十年……？」

「そう、長いようであっという間」

宮田は心底驚いた様子であったが、

「参ったな、おじさんより年上なんだ」

苦笑しながら言った。

「そっ」

「名前がないっていうのも……」

「本当よ。今まであだ名はたくさんつけられたけど。でも嫌なあだ名ばっかり」

「どんな五十年を過ごしてきたんだい」

「別に、何にもない五十年だよ」

宮田は少し悲しそうに、

「そうか」

と呟《つぶや》くと、

「最後に聞かせてほしい」

「何？」

「君たちの、目的というか、使命というか」

「私は、ただ人間を見ているだけ」

事実そうであった。少女は一秒も人間に時間を与えてはいない。

宮田は意味深な言葉と捉《とら》えたようだが、それ以上尋ねてはこなかった。

「本音を言えば、お嬢ちゃんの身体の仕組みをもっと調べたい。でも、それは止めるよ」

「どうして？」

「いくら調べたところで解明できないからね。それに、人間が踏み込んではいけない領域のような気がするからさ」

　少女はふうんと頷《うなず》いた。

「ねえお嬢ちゃん、おじさんは、これからお嬢ちゃんと仲良くしていきたいと思っているんだ。勿論《もちろん》変な意味はない。お嬢ちゃんを本当の人間と思って、仲良くしていきたいんだよ」

「人間と、思って？」

　何だか嬉《うれ》しい言葉だった。そう言ってくれた人間は今まで一人もいなかったから……。

「そう、これから仲良くしてくれるかい？」

「別にいいわよ」

「よし、今からおじさんとお嬢ちゃんは友達だ。友達になったんだから、一つ約束してくれよ」

「約束？　そっちから言った割には何か偉そうね」

　宮田は苦笑して言った。

「これから洋服は絶対に盗まないこと。洋服だけに限らないよ。悪いことはしちゃだめだ。洋服が欲しくなったり、今日みたいに髪の毛や爪を綺麗《きれい》にしたくなったら、いつでも私のところへ来なさい」

面倒臭そうに聞いていた少女の瞳《ひとみ》が俄《が》然《ぜん》輝いた。

「本当に？」

「ああ、いつでもいいからおいで」

「もしかしたら、毎日来ちゃうかもしれないわよ？」

「それでもいいさ。待ってるよ」

宮田はこの日一番の笑顔でそう言ったのだった。


一方その頃黄色い帽子の少年は、老婆の家から程近い、公園のベンチに座っていた。日曜日だというのに少年の横には黒いランドセルが置いてある。今日が日曜日であることを何度も説明したのだが、老婆は曜日感覚がないらしく、嘘ついても無駄だよ、の一点張りだったのだ。

少年は隣にあるランドセルを見た。

中には何も入っていない。

今朝、教科書を入れるフリをして本棚に置いてきたのだ。老婆はそれに気づかず、今日もしっかり勉強してくるんだよ、と言ったのだった。

少し罪悪感を抱きながらいつものように公園に向かい、こうして時間を潰《つぶ》している。

少年はふと空を見上げ、

「今何時かな」

と呟いた。そして徐《おもむろ》にポケットの中から『ポータブルゲーム機』を取り出した。

スイッチを入れても作動しない。午前中はできたのだが、充電が切れてしまったのだ。

実は昨夜、老婆がお風呂《ふろ》に入っている際見つけたのだ。

ゲーム機は、桐箪笥《きりだんす》の中にある着物と着物の間に隠されていた。

いや、老婆は隠したつもりはないのだろう。ただ忘れただけに違いない。

少年はしばらく暗い画面を見つめ、再びポケットにしまった。

少年は最初、ゲーム機を見つけたら老婆とさよならしようと思っていたのだが、この約一週間、自分のことを本当の子供と思って生活している老婆を見てきた少年は、今日も結局公園に向かっていたのだった。

老婆は毎日とても楽しそうだし、今さよならするのはあまりに可哀想だ。

何より老婆はとても優しい。いつも口うるさいけど、温かいのだ。

でも本当は、別れるのなら今なのだ。

今なら、お互いほんの少しの悲しみで済むのだから。

「僕は、どうしたらいいんだろう」

結局答えは出ず、そろそろ帰ってもいい頃かなと立ち上がった。

ちょうどその時、八十過ぎと思われる、杖《つえ》をついた男性がやってきた。

少年は、ゆっくりとした足取りでベンチの方に向かう男性とすれ違ったのだが、その瞬間突然男性が声を発した。

「な、なおちゃん！」

少年はびっくりして振り返った。

男性は愕然《がくぜん》とした様子で少年を見つめている。

呼吸まで止まっていたようで、大きく息を吸い込むと、

「まさかな、そんな訳はないんだ」

少年はすぐに、この男性が『直弥』と見間違えたことを知った。

「なおちゃんって、直弥くんのことでしょ？」

少年が聞くと、男性はまた驚いた表情を見せた。

「なぜ、なおちゃんのことを知っているんだい？」

「おばあちゃんに、直弥直弥って言われてるからさ」

「おばあちゃんって、樋口友子《ともこ》さんのことかい？」

そう言えば、老婆は友子という名前だったなと少年は思った。

「そう」

「無理もない。君は、直弥くんに本当にそっくりなんだ」

少年は、『直弥』の写真を見たことも、老婆と一緒に暮らしていることも告げず、

「あの、直弥くんってどうして死んでしまったんですか？」

尋ねると男性は急に肩を落とし、ベンチに向かうとゆっくりと腰掛け、口を開いた。

「もう五十年ほど前のことになる。九歳の時、海の事故で死んだんだ」

「海の、事故」

「友子さんの旦那《だんな》は直弥くんが生まれて間もない頃、他の女を作って出て行ってな。その頃まだ友子さんは十七か八くらいだったんじゃないかな。

それ以来、女手一つで一生懸命直弥くんを育ててきたんだが、夏休みのある日、二人で海に遊びに行った友子さんは、恐らく直弥くんから目を離したんだろう。直弥くんは波にさらわれ、結局直弥くんの遺体は見つからぬまま……」

男性はそこで一旦《いったん》言葉を切った。

「あまりに突然のことだったし、遺体が見つからなかったのも原因かもしれん、直弥くんを亡くして以来友子さんは少しおかしくなってしまってな」

少年は、直弥直弥と呼んでくる老婆の姿を頭に浮かべた。

「彼女に会う度、彼女はさも直弥くんが生きているかのように私に嬉しそうに話すのだよ。今日直弥が運動会の駆けっこで一等賞を取ったとか、全然勉強しなくて困って

いる、とかね。

しかし、息子を失った悲しみを背負って生きていくよりも、かえってその方が幸せでよかったのかもしれんがね」

少年は、確かにそうかもしれないなと思った。

「しかし、見れば見るほど似ている。生き返ったのかと思うくらい」

瞬間衝撃が走った。

男性に言われて、初めてある思いが芽生えたのだ。

僕は直弥で、『使者』として生き返ったのではないか、と。

直弥がこの世を去ったのは五十年ほど前だと男性は言った。

自分が人間に時間を与える『使者』となったのも、ちょうど五十年前だ。

もし、もし仮に、本当に生き返ったのだとしたら……。

「おじいちゃん、僕そろそろ帰ります」

抑揚のない声でそう言うと少年は公園を後にし、老婆の待つ家に歩を進めた。

家に着くまでの間少年はずっと、自分は直弥なのだろうか、と考え続けたが、無論答えが出るわけもなく、気づけば玄関の前に立っており、ゆっくりと扉を開いた。

少年の目に、ハタキで埃《ほこり》を落としている着物姿の老婆が映る。

少年が帰って来たことに気づいた老婆は、

「あらおかえり直弥」

といつもと同じ調子で言った。

この人が、僕のお母さん？　今まで両親の存在なんて考えたことなかったけれど、本当にこの人がお母さん？

少年はそう思うと、心臓がないのに胸が熱くなってきた。

「直弥、何ボーッと突っ立ってんだい。早くこっちへいらっしゃい。おやつ用意してあるよ」

分からない。実際目の前にいる老婆が母親かどうかなんて。

でもそれでもまあいっか、と少年は思った。

ランドセルの肩紐《かたひも》をぎゅっと握りしめると、

「ただいま！」

老婆に元気よく言ったのだった。

白いTシャツに青い半ズボン姿の少年『テク』と玖美が岬村の村民たちの『残りの時間』を調べだしてから九日が経ち、日曜日のこの日、少年が玖美の家に迎えに行ったのだが、家でお昼ご飯は食べず、二人はおばあちゃんが作ってくれたお弁当を持って出掛けた。

この九日間でテクは三百人近い大人を見てきたが、駄菓子屋の店主のように『残り時間』が少ない者は一人もおらず、平和な日々が続いていた。

この日二人は十一時頃から、まだ残り時間を調べていない村民を探し歩いたのだが、テクは玖美の後ろ姿ばかりを眺めていた。

玖美に『テク』という名前をつけてもらって以来、テクは気づけば玖美を見つめている。

今抱いている感情は初めての感情であった。

テクは、これが『恋』というものなのだろうか、と思う。

もしもそうなら、今あるこの感情をすぐに捨てなければならない、とテクは心の中で言った。

使者が人間に恋をしてはいけないという掟《おきて》などないが、使者と人間との間に『愛』が成立することは有り得ないからだ。

いや、一時的な愛はあるかもしれない。でも、その愛は決して長くは続かない。

テクは自分の身体を見て思う。

なぜなら自分は、何年経っても子供の姿をしたままだから、と。

「ねえねえテクちゃん」

玖美が不意に振り向き、テクは思わず目をそらしてしまった。

気づけば辺り一面田圃《たんぼ》のひっそりとした場所に立っており、いつの間にこんな景色に変わっていたんだろう、とテクは思った。

「どうしたの？　テクちゃん」

「ううん、何でもない」

「そろそろお腹空《す》いてきたからお弁当食べようよ」

「うん、いいよ」

「ちょうど学校の近くだから、学校のベンチで食べましょ」

「うん」

玖美を先頭に二人は学校に向かい、無意識だろうか、玖美は正門ではなくいつも待ち合わせしている裏門の方に向かっていく。

「あ、門が開いてる」

玖美の背中ばかりを眺めていたテクは裏門に視線を向けた。

「本当だね」

今日は日曜日であるがなぜか門が開いており、敷地内には大きなバスが二台に、ワンボックスカーが十台程停まっていた。

グラウンドに多くの人がいるざわざわとした気配を感じる。

二人はそっとグラウンドに向かった。
テクの目に、百人近い人間の姿が映った。
その中で大人は三十人程度か。ほとんどが子供で、全員ユニフォームを着ている。
彼らは皆グループに分かれて昼食を摂《と》っているのだった。
グラウンドにはサッカーゴールが設置され、あちこちにボールが転がっている。
テクは、なるほど今日はサッカーの試合なんだな、と思った。
玖美は子供たちのいない方に進んでいくが、なぜか突然動作が止まり、
「やだ、もしかしてあれ大輔《だいすけ》くんじゃない？」
顔を真っ赤にして言ったのだった。
「大輔、くん？」
玖美は気づかれぬよう、一人の男子を指さして言った。
「ほら、あの白いユニフォームの10番。そうだ、やっぱり大輔くんだよ」
人が多いし、かなり遠くにいるのでテクはすぐには見つけられなかった。
ようやくテクは、玖美の言う『大輔くん』の姿をとらえた。
テクよりもかなり背が高くて、長い髪を真ん中で分けている。
顔は、友達が壁になっていてはっきりとは見えないが、とても大きな目が印象的で、
何となく優しそうな雰囲気を感じた。

「横島《よこしま》大輔くん、一度も一緒のクラスにはなったことないんだけど……」

テクは、玖美の次の言葉がとても気になった。

「ないんだけど？」

「サッカーが凄《すご》い上手でね、隣町のサッカーチームに入っていて、ほら、10番つけてるでしょ。五年生なのにエースなんだよ、恰好《かっこう》いいよねえ」

玖美は間髪入れずに続けた。

「それとねそれとね、凄く優しいの。私、学校でイジメられているって言ったでしょ？　ちょっと前イジメられている時に、やめろよって言ってくれたことがあってね」

こんなにも嬉《うれ》しそうに喋《しゃべ》る玖美の姿は初めてであり、テクは、玖美が大輔に恋心を抱いていることを知った。

テクは少し残念な想いを抱いたが、これでよかったんだと自分に言い聞かせ、

「そう」

笑顔を見せて言った。

しかし玖美はテクを見ておらず、今度は急にテクの後ろに隠れたのだ。

「大輔くんがこっちくる！」

テクの耳元で言った。

「やだやだテクちゃん、どうしよう」

玖美は舞い上がっているが、大輔は玖美には気づいていない様子である。

どうやら大輔はただトイレに行きたいだけのようであった。

「話しかけてみたら」

後ろで隠れる玖美に言った。

「無理、無理よ！」

大輔はすぐに二人の存在に気づき、
テクと玖美は同時に大輔に顔を向け、

「あれ、立岡じゃん？」

「あ、大輔くん、こんにちは」

大輔は玖美に手を上げるとテクを指さし、

「誰？友達？」

「う、うん、そう。隣町のテクちゃん」

「テクちゃん？」

「そうそう」

「おっす」

大輔がテクにも手を上げ挨拶《あいさつ》した。

しかしテクは返事しなかった。

いや、できなかった……。

大輔は、硬直しているテクに首を傾げると、

「今日練習試合なんだ。じゃあな！」

玖美にそう言ってトイレに走って行った。

大輔がトイレに入ると玖美はテクを振り返り、

「ねえテクちゃんどうしたのよ」

「……」

「テクちゃん？」

「……」

テクは、大輔がグラウンドに戻っていくまで固まっていた。

玖美は、普通ではないテクの様子に段々と青ざめる。

「まさか、テクちゃん？」

テクは、友達とパス回しを始めた大輔の背中を見据えながら言った。

「もう、長くない」

「それどういう意味？　誰かの命が、って意味じゃないよね？」

「……」

玖美はテクの視線の先を追い、大輔の姿を見た。

「まさか、大輔くんなの？」

テクは大輔を見据えたまま頷《うなず》いた。

大輔の死を宣告された途端玖美は手足が激しく震え、

「嘘でしょテクちゃん、嘘だよね？」

「嘘じゃない」

大輔の頭上には、『２０７３４５４５』秒と表示されており、秒数で見ると長いようであるが、計算するとあと約八ヶ月の命なのだ。

「そんな……」

立っていられなくなった玖美はその場に屈《かが》み込み、

「どうして大輔くんなの、大輔くんが一体何をしたの？　悪いことなんてしてないよ？　それなのにどうして？」

テクが声をかけようとした途端、

「私は信じない！」

グラウンド中に玖美の叫び声が響き、皆が一斉にテクたちを振り返った。

玖美は立ち上がりテクの袖《そで》を掴《つか》んだ。

「テクちゃん何かの間違いでしょ？　テクちゃんには一体どう見えているっていうのよ！」

「秒数が見えるんだ」

「秒数……」

「残り20734443秒。計算すると、あと八ヶ月」

八ヶ月という寿命に、玖美は再び力を失った。

「八ヶ月しか、生きられないの……」

残り時間が少なかろうが、時間は平等であり、そして残酷である。

容赦なく一秒、また一秒と減っている。

「ねえテクちゃん、大輔くんあんなに元気なんだよ？　それなのに八ヶ月しか生きられないの？　テクちゃんが間違えているってことはないの？」

「俺が間違えることはない。何度見ても、何度計算しても、あと八ヶ月なんだ」

玖美は涙を腕で拭《ぬぐ》い、

「私はそれでも信じない！」

嗄《か》れた声で叫んだ。

これ以上玖美の悲しむ姿は見たくないが、テクは嘘はつけなかった。

「それでもいい、でも」

「もういい！　テクちゃんなんて嫌いよ！」

玖美の言葉がグサリと突き刺さるが、それでもテクは真実を伝えた。

「俺を嫌いになろうが変わらない。大輔くんの運命は変わらないんだ」

今度は玖美が心臓を突き破られたかのような表情となり、力無く大輔に視線を向けるが、現実から逃げるように走って学校を出て行った。


宮田孝一と『友達』になってからちょうど十日が経ち、白いワンピースを着た少女はこの日、朝から『宮田内科クリニック』へと向かった。

あれから少女は二日に一度のペースで宮田に会いに行っており、その度宮田を桜木町の駅ビルやショッピングモールへと連れて行き、洋服やアクセサリー等遠慮無くねだっていた。

宮田は嫌な顔一つせず、欲しい物全てを買ってくれる。その代わり、買い物が終わったら一緒に食事するのが約束だった。

実は昨日も少女は宮田と一緒にいた。

今着ている白いワンピースを買って貰《もら》った後、近くのピザ屋で食事して別れたのだった。

宮田とはいつも次会う約束はしないが、あれから二日に一度のペースで会いに行っているから、宮田はきっと今日来るとは考えてもいないであろう。

少女は今日、宮田にいつもとは違うお願いがあった。昨晩宮田と別れた後、少女は横浜の夜の街を適当にぶらぶら歩いたのだが、その時ふと思ったのだ。

いつでも宮田と連絡が取れるように携帯電話が欲しいと。

無論、買って貰ったら今時の女の子がしているように『デコ電』にするつもりだ。

少女は、こんな朝から行っても宮田が外に出られないことは知っている。それでも今日は何だか、今すぐに伝えたい気分であった。

宮田のいる高層マンションが見えてくると、少女は何だか嬉《うれ》しくなって走り出した。

宮田内科クリニックの看板が見えてくると少女はフフフと笑った。

こんな早くに行ったらきっと驚くだろうなあ。

しかし一瞬にして少女の顔から笑みが消えた。

宮田内科クリニックに勤める二人の看護師が慌てて外に出てきて、中の灯《あか》りを消すと『休診日』というプレートを受付の棚に置いたのである。

少女は宮田が出てくるのを待ったがいつまで経っても出てこず、若い女性看護師が自動ドアを手で閉めた瞬間走って看護師たちの元へと向かった。

「何かあったの？　先生は？」

看護師たちは少女の存在を知らず、誰？　というように顔を見合わせた。

「私、宮田先生の友達です」

「友達？」

若い女性看護師が怪しむ目で少女を見るが、隣にいる中年の女性看護師が、

「ほら、急がないと！」

と言って、少女にこう伝えた。

「先生ね、さっき交通事故で横浜港総合病院に運ばれたの！」

次の瞬間には少女はもう走り出していた。

少女は、宮田が天から与えられた残りの時間を知っており、宮田はまだ死ぬ運命ではないことは分かっている。それでも全力で走っていた。

横浜港総合病院までの道順は知っている。ここから三十分も走れば着くはずだ。

少女は走りながらふと思った。

今日、不思議と朝会いに行きたいと思ったのは、虫の知らせだったんだと。

病院に駆け込んだ少女は受付に向かい、

「あの、宮田先生は？」

いきなり尋ねた。

受付の若い女性は困惑し、

「宮田、先生？」

「そう、さっき救急車で運ばれたはずなんだけど！」

「ああ、宮田孝一さんですね、宮田さんなら整形外科におられますよ」

少女は、受付女性の冷静な態度に首を傾げ、再び駆けだした。

しかしすぐさま整形外科の場所を聞き忘れたことに気づき立ち止まるが、目の前が整形外科であることを知った少女は忙《せわ》しなく宮田を探す。

その直後だった。整形外科の診察室から、右手の親指に包帯を巻いた宮田が、一足先に到着していた二人の看護師と一緒に出てきたのだ。

少女は元気そうな宮田の姿に呆《あき》れたように溜息《ためいき》を吐き、

「何だ、全然大したことないじゃない」

と呟《つぶや》いた。

宮田はすぐに少女の存在に気づき、

「お嬢ちゃん」

心底驚いた様子であった。

少女が怒った顔で歩み寄ると、若い看護師が宮田に尋ねた。

「先生、この娘《こ》は？」

宮田は別に慌てることはなかったが、

「ああ、いいんだ」

とはぐらかし、

「君たちは先に戻って準備していてくれ」

「え？　まさか先生」

宮田は中年看護師に頷《うなず》き、

「午後から診療を行う。私を頼りにしてくれている患者さんがたくさんいるからね」

「でも、大丈夫ですか？」

「問題ない。さあ早く」

「分かりました」

二人の看護師は宮田に頭を下げると、少女をチラチラと見ながら病院を出て行った。

宮田は、包帯が巻かれた親指を少女に見せると苦笑した。

「今度は私の番だ。人を助けなければならない僕が事故に遭うなんて、全く情けない」

「交通事故って言うから飛んできたのに、心配して損した」

「損したとは何だ、こう見えても、骨折してたんだぞ」

「それでも全然元気じゃん」

「相手がバイクだったからよかった。もし車だったら」

「私みたいにはいかなかったわね」

二人は顔を見合わせるとクスクスと笑った。

宮田はすぐ傍にあるベンチに座り、安堵《あんど》したように息を吐く。

少女が隣に座ると宮田は少女の目を真っ直ぐに見つめて言った。

「ありがとうね、来てくれて。まさか来てくれるとは思わなかった」

「交通事故に遭ったって、あの二人が言うから……」

宮田はフフフと笑うと、

「優しいんだね、君は」

少女は顔を背け、

「別に」

「知ってるよ、君と再会する前、君が、目の前で転んだ子供を起こしてあげたこと。

あの時の君は、普段は見せないけれど、とても優しい目をしていたね」

少女はその時のことを思い出し、見てたんだ、と思った。

「もういいってば」

「決めた！」

突然宮田が言った。

「何を？」

「君の名前さ。実はずっと考えてたんだけど、今とてもいい名前が浮かんだ」

「なによ」

一応聞いてみた。すると宮田はこう言った。

「普段はワガママで、ちょっと乱暴で、外見のことばかりを気にしている女の子だけれど、本当はそうじゃなくて君は実は心も美しい。だから、ココミだ。心が美しいと書いて心美《ここみ》」

「心が美しいから、心美……」

「どうだい？」

少女は表情一つ変えないが、嬉しい、と思った。名前らしい名前は初めてだったし、何より心が美しいなんて言われたことがなかったから……。

でも、恥ずかしくて素直な気持ちを伝えられない。

「あまり、気に入らなかったかい？」

少女は首を横に振った。そして大きく息を吸い込み、勇気を振り絞って、

「いい、名前だね」

と言った。

言った後少女は、やっと言えた、と息を吐き出した。

「そう、気に入ってくれた。よしじゃあ今日から心美だ」

少女は声は出さないが、小さく頷いたのだった。

「ところで、心美ちゃん」

早速心美と呼ばれた少女は恥ずかしくて返事ができなかった。

「私に本当のことを教えてくれないか」

「本当のこと？」

「ああ、君には本当は、家なんてないんだろう？」

少女は、初めて宮田と晩ご飯を食べた時、どこで生活しているのかを尋ねられたのだが、近くの空き家で仲間たちと生活している、と適当に嘘をついたのだ。

本当はホームレスと似た生活だが、正直に言ったらうるさく言われそうだったから。

「一緒にいれば、嘘だってことくらいすぐに分かるさ」

宮田は言葉を重ねた。

「君は、本当は食べる必要も、寝る必要もないと言った。実際、家がなくたって平気で生きていけるんだろう。でも、これからは人間として生きていくんだ」

「人間として？」

「そう。家の布団で寝て、起きたら歯を磨き、顔を洗い、朝ご飯を食べて、遊びに行くでも勉強するでも何でもいい。お昼にはお昼ご飯を、夜には晩ご飯を食べ、お風呂《ふろ》に入って寝る。こんな当たり前の生活を、これから心美、君もしていくんだ」

「どうしてよ」

「言ったろう、私の中では君は人間だからさ」

「人間……」

「そうだ」

宮田は少し時間を置いて言った。

「私の家で生活しないか」

「おじさんの？」

「そうだ、私には妻も子供もいないからね」

知っている。初めて晩ご飯を食べた時、聞いてもいないのに、自分は未《いま》だ独身だと言ってきたのだ。

「私の家で、さっき言ったように当たり前の生活をする。その中で、心美にはこれから色々なことを勉強してもらう」

「勉強？」

「学校の勉強ではないよ。例えば、掃除の仕方や、料理の作り方といった、ちゃんとした女性になるための勉強だ」

「女性って、私はずっと今のままなんだよ？」

「それでもさ」

少女は、宮田と生活してもいいかな、という気持ちを抱いている。

理由は三つある。

一つ目は、宮田が本当の自分を見てくれて、初めて名前らしい名前をつけてくれたから。

二つ目は、自分を本当の人間と見てくれているから。

そして三つ目は、一緒にいれば今以上にお洒落《しゃれ》になれるような気がするからだ。

少女は、最後の理由でクスリと笑った。

「どうしたんだ急に笑って」

「ううん、別に」

かといって、少女は面倒臭いという気持ちもある。

「それよりどうだい？　最初は毎日来なくたっていい。徐々に慣れていくんだ」

少女はしばらく考えた末、宮田に舌を見せて言った。

「気が向いたら、ね」

横島大輔の死が玖美に宣告されてから早くも一ヶ月が過ぎ、大輔に残された時間は七ヶ月と迫ったが、未だ玖美は大輔に何も伝えることができていない。

ただ毎日大輔の後を追って彼の姿を見守るだけであった。

この日もテクと玖美は学校の裏門で待ち合わせをし、今二人の瞳《ひとみ》には、学校のグラウンドで友達と元気にサッカーをする大輔の姿が映っている。

「テクちゃん」

玖美が背を向けたまま口を開いた。

テクは玖美の次の言葉を知っている。

「大輔くんあんなに元気なんだよ？　昨日と何も変わっていない？」

玖美はこの一ヶ月間、毎日テクにそう問うが、

「何も変わっていない」

玖美の期待を砕くような、はっきりとした口調で答えた。

テクの言葉に玖美は鉛のように重い溜息《ためいき》を吐き、

「そう」

抑揚のない声で呟《つぶや》いた。

テクは、まるで人が変わってしまったかのような玖美を見つめながら思う。

こんなことになるのなら、あの時、大輔に与えられた時間が残り少ないだなんて、伝えなければよかったと。

テクがこれほどまでに後悔し、また、人の死でこんなにも悩んだのは、五十年間で初めてであった。

「やっぱり私には無理だよ」

突然玖美が涙声で言った。

「最初は寿命が短い人がいたら、その人が後悔しないように本人に伝えてあげるつもりだったけど、やっぱり私には無理。可哀想すぎるよ」

玖美はずっと、大輔の死が迫っていることを受け入れなかったが、最近ふとこのようなことを言うようになっていたのだった。

「仮に伝えたとしても、誰も信じないよ」

それから無言のまま時が過ぎ、テクは空を見上げた。

「そろそろ帰らないとおばあちゃんが」

心配するよ、と言おうとした時だった。

「おーい、ボール取ってくれ」

二人の方にボールが転がってきて、大輔が手を振りながらやってきたのだ。

玖美がボールを拾うと、

「おう、立岡だったのか」

大輔は後ろにいるテクに目を向け、

「あ、この前の。確か、テクちゃんだったな！」

テクが頷《うなず》くと、大輔は初めて会った時と同じように、

「おっす」

と挨拶《あいさつ》した。

「おい立岡、ボールくれ」

玖美が無言のままボールを渡すと、

「おい、どうした？　そんな暗い顔してよ」

玖美は首を横に振ると、

「何でもない」

明るい声で言った。

「そっか、じゃあな」

大輔は玖美にそう言うと走って友達の元へと走って行った。

テクは、大輔の背中を追う玖美を見つめる。

後ろ姿だが、玖美が涙を流しているのが分かった。

それは帰り道での出来事だった。

「やあまた会えたね」

後ろから声が聞こえ、テクはその声にギクリとして足を止めた。

振り返るとやはり、黒い十字架のネックレスをした少年であった。

どうして岬村に？　とテクは思うが、彼も千葉にいたことを思い出し、ここで会ってもおかしくはないなと思った。

しかしそれにしてもタイミングが悪い。

黒いネックレスの少年は愉快そうに言った。

「こんなにもすぐ再会できるなんて、僕と君は見えない何かで繋《つな》がっているのかもしれないな」

黒いネックレスの少年は、見窄《みすぼ》らしい恰好《かっこう》をしたテクとは違い、髑髏《どくろ》の刺繍《ししゅう》が入った黒いポロシャツに、七分丈のジーンズ、そして茶色い革のサンダルを履いていた。

人間から掠《かす》め取った金で買った物に違いなかった。

「ねえ、この子誰？」

玖美がテクに尋ねると、黒いネックレスの少年は、

「この子、か」

と言って笑い、

「教えてあげよう、僕は彼の古くからの友人でね」

玖美は小さな二人を交互に見て、

「古くからの、友人？」

「そう」

「よせよ、そんなんじゃない」

「逆に、その娘は誰だい？　君が人間と親しくするなんて、珍しいんじゃないのかい？」

「人間と、親しく？」

玖美は再び二人を交互に見る。

嫌な空気が流れる中、

「岬村に何の用だ？」

テクが聞いた。

「ああ、ここ岬村って言うんだ。なるほど、ここが君の新たな」

「おい」

テクは慌てて止めた。玖美には隣町に住んでいると言っているからだ。

「何の用だと聞いているんだ」

「そんな怒るなよ。別に用はないよ。偶然ここに来ただけさ。あ、でも、ここで新たな『信者』を増やすのもいいかもな」

「新たな信者って？」

玖美がテクの耳元で聞いた。

「さあ」

テクは誤魔化し、

「ここにいても無意味だぞ」

と告げた。

いや、彼が探し求めている対象が一人いる。

横島大輔だ。彼にだけは会わせてはならないと思った。

黒いネックレスの少年はテクと玖美を見るとフフと笑い、

「わかったわかった、邪魔だと言うのなら消えよう」

テクは玖美に、

「行こう」

と言って黒いネックレスの少年に背を向けた。

「また会おう」

後ろから、黒いネックレスの少年の声がした。

御免だね、と心の中で言うと、その心の声が聞こえたのか、

「僕と君は、いつかどこかで必ずまた会うことになるよ」

と言ったのである。

テクは玖美の手を取ると歩調を早め、その場を去る。

とても悪い予感がした。

彼は岬村から消えると言ったが、何もせずに去るとは思えないのだ……。

それから約二週間が経った、夏休み中のことであった。

黒いネックレスの少年に再会して以来、テクは彼のことばかりが気になっていたのだが、横島大輔がサッカーの練習試合中に突然倒れ、最初は岬村の小さな病院に運ばれ、その五日後には、隣町の大学病院に移されたのである。

その頃からであった。

岬村にある噂が広がり始めた。

それは、テクが『疫病神』で、近づいたら死ぬ、というものであった……。


八月の第一日曜日、テクと玖美は昼過ぎに、大輔のいる大学病院を訪れた。

大輔が入院して以来、二人は毎日のように見舞っているのだが、今日は大輔の母親

の様子が明らかに違った。

テクを見るなり、母親の目つきが急に険しくなったのである。

テクと玖美はこの瞬間、とうとう大輔たちの耳にもテクの噂が届いてしまったことを知った。

テク自身が、岬村で『疫病神』と噂されている事実を知ったのは二日前。玖美とおばあちゃんから聞いたのである。

思えば、ここ最近村民の目が冷たいような気がしていたのだ。

噂を流したのは一人しかいなかった。

黒いネックレスの『使者』であるのは明白であり、テクは怒りが沸き上がると同時に、今までみたいに毎日玖美に会うことはできないかもしれない、と思った。

だが玖美とおばあちゃんはテクの心中を察したように、全然気にすることはないよ、だからいつでも遊びにおいで、と言ってくれたのだった。

テクと玖美は大輔の母親に挨拶すると、大輔の病室に向かった。

大輔の病室は四階の四一〇号室。個室である。

扉をノックすると、大輔の声が返ってきた。

大輔はベッドの上でサッカー雑誌を読んでおり、顔色は少し蒼白《あおじろ》いが、死ぬような病気には見えない。しかし確実に死は迫っているのだ。

テクと玖美は実はまだ大輔の病名は知らされていない。

大輔の明るい様子を見ると、もしかしたら大輔も病名を聞いていないのではないか、とテクは思っている。

「おっす二人とも」

大輔も、テクに近づいたら死ぬ、という噂が広がっていることを知っているはずだが、母親とは違い、テクを見ても一切態度を変えなかった。

「いつもありがとな。ここ、みんなが住んでいるとこからちょっと距離があるからよ、こうして毎日のように来てくれるのは二人だけなんだ。マジありがと」

玖美は大輔が入院して以来、大輔の寿命について一切触れなくなった。

それは逆に、大輔の死が本当に迫っていることを認めたからである。

今は大輔が元気そうでも、この病気が治らずに死んでしまうことを知っている。それでも玖美は大輔に不安を抱かせまいと明るく振る舞った。

「今日はリンゴ持ってきたよ。おばあちゃんが大輔くんのために買ってきてくれたの」

玖美はそう言ってリンゴの入った袋を棚に置いた。

「どう？　調子は」

「少し怠《だる》くて熱もあるみたいだけど、別に入院するほどでもねえよ」

やはり大輔は病名を知らないんだ、とテクは確信した。

「無理しちゃ、だめよ」

「無理はしねえけどよ、早くサッカーやりてえんだ」

玖美は言葉に迷っている様子だった。見舞いに訪れる度に大輔はサッカーがやりたいと言うが、玖美は一度も期待を抱かせるような言葉は言っていない。

「ボールにすら触れないなんてマジ地獄だぜ」

「……」

重苦しい空気の中、病室の扉が開いた。

扉を開けたのは大輔の母親であり、母親は中には入らず、

「玖美ちゃん、ちょっといいかしら」

と、玖美を廊下に呼んだのである。

母親は玖美が部屋を出る瞬間テクを一瞥《いちべつ》し、その視線を見逃さなかったテクは、大輔の病気で神経質になっているであろう母親が、玖美に何を言おうとしているのかを知った。

「なあテクちゃん、立岡のやつ、何となく元気ないよな」

「そんなこと、ないと思うよ」

「そっか」

「それより大輔くん」

「うん？」

「大輔くんは、気にならないの？」

「何が？」

テクが黙っていると、

「ああ、もしかしてテクちゃんの噂のことか？」

と言った。

「そう」

「母さんから聞いたよ。なんでテクちゃんみたいないい奴がいきなりそんなこと言われるんだ？　意味わかんねえよな」

テクはそれには答えず、

「気にならないの？」

もう一度聞いた。

「ぜーんぜん」

「どうして？」

「だって俺たち友達じゃん？　そんな噂信じる方が馬鹿なんだって」

友達という言葉が、胸に熱く響いた。

「それよりテクちゃん」

「なに？」

「テクちゃんは全然サッカーやったことないのかよ」

「ない」

相当昔、サッカーボールを蹴《け》ったことはあるが……。

「なら、俺が退院したら一緒にサッカーやろうぜ。俺が教えてやるから」

テクは玖美と同様言葉が見つからなかった。

人間に対し、こんなにも不憫《ふびん》に感じたのは五十年間で初めてだった。


それから一週間が経ち、テクは玖美から大輔の病名を告げられた。

その日玖美は夏休みの登校日で、大輔と同学年の生徒全員に伝えられたのだ。

玖美は酷《ひど》く落ち込んだ声で、『急性白血病』と言った。白血病をよく知らない子供たちは大輔が元気な姿で戻ってくると信じているだろうが、残り時間を知っている玖美はただただ泣くばかりであった。

ちょうどその頃から大輔の身体に次々と変化が起こり出した。

頻繁に高熱が出るようになり、肌は蒼白く変色し、身体はみるみる痩《や》せこけ、更には抗がん剤の副作用で髪の毛が全部抜け落ちた。

テクは、大輔の母親がいない時だけ大輔の見舞いに訪れた。

それは、母親がテクの見舞いを拒んだからである。

玖美が母親に呼び出されたあの時、玖美はやはり、縁起が悪いからテクを連れてこないで欲しいと言われたのだった。

一方大輔は、自分が白血病に冒されていると知っても、『疫病神』と言われるようになってしまったテクを差別することはなく、苦しいはずなのに、テクを見るとうっすらと笑みを浮かべるのだった……。

それから更に一ヶ月が過ぎ、大輔の死がいよいよ五ヶ月後と迫ったある日のことだった。

玖美が大学病院から泣きながら出てきたのである。この日は大輔の母親がいたので病院の入り口付近で玖美が戻ってくるのを待っていたテクは急いで玖美の元に歩み寄った。

玖美は噎《むせ》び泣きながら言った。

「大輔くんが可哀想だよ」

テクはただ、うんとしか言えなかった。

「もう無理なのは分かってる。でもせめて」

喉《のど》を詰まらせた玖美は激しく咳《せ》き込み、落ち着くとこう言ったのである。

「せめて、来週の大会に出させてあげたかった」

「来週の、大会？」

「来週、千葉市で大きな大会があるらしくて、大輔くん、その大会にどうしても出たかったって……泣いてた」

「サッカーの、大会」

「結局私は最後まで何もしてあげられないんだ……」

玖美はその場に屈《かが》み込み、再び大声で泣いた。

しかしテクは玖美の姿が目に映っていないかのように、ただ立ち尽くしていた……。


「俺の力を使えば、大輔くんはもう少し長く生きることができるよ」

テクは遠くをぼんやりと見つめながら言った。

「テクちゃんの、力？」

テクは頷《うなず》くと、玖美の目を真っ直ぐに見て言った。

「いずれ分かることだから、今言うよ。実は俺は人間じゃあないんだ。だから、名前がないのさ」

一瞬、時が止まったようになった。

「俺、ずっと玖美に嘘ついてた。本当は俺家なんかない。学校にも行ってない。ずっと玖美の家の近くの公園にいたんだ」

「ちょ、ちょっと待ってよテクちゃん。人間じゃないって」

「今は信じられないだろう。でも俺とずっと一緒にいたらいずれ分かるさ」

「どういうこと？」

「今証明してもいいけど、俺には人間みたいに心臓がない、血も流れていなければ、骨だってない。だから一生成長しないんだ」

玖美はテクの身体をまじまじと見つめ、薄く笑った。

「こんな時に、冗談やめてよ」

「冗談なんかじゃないんだ。俺の胸を触れば分かるよ。ほら」

テクは玖美の右手を取り、自分の胸にあてさせた。

「動いてないだろう」

玖美の喉《のど》が、ゴクリと鳴った。

それから少しの間お互い無言となった。玖美はずっと、テクの心臓があるはずのあたりに手をあてたままだった。

「気づいた時、俺はある場所の時計台の下にいた」

玖美はテクの胸から手を離し、

「時計台？」

「玖美は、横浜の桜木町を知っているかい？」

「うん、一度おばあちゃんと遊園地に行ったことがあるよ」

「その近くにある時計台さ。初めて玖美と会った時にいた二人を憶《おぼ》えているだろう？」

「うん」

「あの二人も実は人間じゃない。二ヶ月前くらいに会った、黒いネックレスをした奴、あれも人間じゃない。俺が『疫病神』だと噂を流したのは、あいつだよ」

テクは言葉を重ねた。

「気づいたら俺たちは時計台の下にいて、こうして子供の姿をしているけれど、もう五十年も生きているんだ」

「五十年……？」

「そう、五十年間人間を見続けてきた」

テクは一拍置いて言った。

「人間たちに、時間を与えるために」

「時間を、与えるため？」

「俺たちは、人間の寿命が分かるだけじゃなく、時間を与えられる。つまり、その人間の運命を変えることができる」

それを聞いた瞬間玖美の表情が真剣なものに変わり、

「それ本当なの？」

「ああ、嘘は言わない」

「じゃあ、大輔くんにも時間を？」

「ああ」

「なら大輔くん助かるのね！」

「いや」

一瞬にして玖美の顔から笑みが消えた。

「病気に勝つことは、できない。時間を与えられると言っても、限度があるんだ」

玖美は恐る恐る、

「どれくらい、与えられるの？」

この時テクは咄嗟《とっさ》に、

「三ヶ月」

と嘘をついてしまった。

持ち時間が『1000000000』秒と言えなかったのは、約三年分与えられると言えば、何も知らない玖美は三年分与えて欲しいと言うに違いなかったからだ。

テクは自分でも分からないがこの時、持ち時間を全て与えた瞬間にこの世から存在が消えてしまうことを、玖美には言えなかった。

「テクちゃん、本当に本当なの？」

「ああ」

玖美はテクの手を取り、

「たった三ヶ月でもいい。大輔くんに時間を与えてあげて」

縋《すが》るような目で言った。

「行こう」

テクはそう言って、病院に入ったのだった。


大輔のいる病室をノックすると、大輔ではなく母親の声が聞こえた。

「どうぞ」

玖美が扉を開けると、

「あら玖美ちゃん、忘れ物？」

その後ろからテクが姿を現すと、母親の表情が一気に険しくなった。

大輔はどうやら熱があるらしい
「おばさん、ごめんなさい」

ニット帽を被《かぶ》ったままベッドに仰向《あおむ》けになっている大輔はどうやら熱があるらしい
が、テクが来たのを知るとゆっくりと起き上がり、

「おっす、テクちゃん」

力無く手を上げた。

テクは母親の冷たい視線を感じながら、

「おっす」

と挨拶《あいさつ》した。

「テクちゃん、いつも来てくれてありがとう」

テクは首を横に振り、大輔に近づく。そして何も言わずに大輔の右手を手に取った。

「どうしたんだ？　テクちゃん」

テクは答えず目を閉じた。そして、『1000000000』という数字を見る。

まさか初めて時間を与える人間が大輔になろうとは、とテクは思った。

無論、玖美に頼まれたからではない。心の底から、大輔に時間をあげたいと思った。

それは、本当の友達だから。

テクが念じると、中心に浮かぶ『1000000000』の数字が減っていく。

その直後だった。

テクが『8000000』秒、約三ヶ月分の時間を与えると、大輔の顔色が見る見る良くなり、熱も急激に下がったのである。

まるで、ゲームの魔法使いが回復の呪文《じゅもん》を使ったかのように。

それは、テク自身にも意外なことであった。

時間を与えても病状が良くなることはなく、ただ寿命が延びるだけだと思っていたが、どうやら身体の状態も『巻き戻される』ようだとテクは知った。

大輔は力漲《みなぎ》る身体を見つめ、

「嘘だろ、すげえ、俺元気になった！」

廊下にまで響くほどの声で叫んだ。

後ろで見守っていた玖美と母親も愕然《がくぜん》とし、言葉を失っていた。

大輔はベッドから下りるとジャンプしたり、シュートの真似をしたりした。

「すげえ、動ける、これなら大会出られる！」

大輔はテクに言った。

「テクちゃんが治してくれたんだろ？　すげえよテクちゃん！　どうやったの！」

テクは、治したわけではないよ、と心の中で言い、

「よかったね」

と言った。そしてテクは、大輔や母親からあれこれ聞かれる前に、病室を出て行ったのだった。

「テクちゃん！」

すぐさま玖美が追いかけてきた。

テクは足を止めるが、振り返らなかった。

玖美はテクの背中に言った。

「本当にテクちゃんは」

「これで分かったろ？　俺は人間じゃない。今度こそ怖くなった？」

背を向けながら聞いた。するとは玖美は、

「怖いだなんて。むしろその逆、本当にありがとうって思ってる！」

テクは玖美を振り返り、小さく頷《うなず》いた。

玖美はテクに歩み寄り、

「大輔くんが一瞬にして元気になっちゃうなんて、本当に凄《すご》いよ！」

元気にはなったが、病気が治ったわけではない、とテクは思うが、それは口には出さなかった。

「テクちゃん、どうしてそんな凄い力があることを、もっと早く教えてくれなかったのよ！」

玖美は、まるで欲しい物を買って貰《もら》った時の幼い子供のように目を輝かし、興奮していた。

テクは玖美とは対照的に、

「別に、隠していたわけではないんだけど」

静かな声で言った。

「ねえテクちゃん」

玖美は何かが閃《ひらめ》いたような様子だった。

テクはあまりいい予感がせず、

「何」

一つ間を置いて聞いた。

玖美は、大輔が一時的に元気になったことで、ある感情が芽生えたのだ。

「大輔くんだけじゃなくて、今この病院にいる、寿命が少ない人たちに、時間をあげてほしいの。少しでも、長く生きてほしいから」

テクは、玖美の性格をよく知っている。

玖美らしい考えだな、と思いながらも、厄介なことになったな、とも思った。

テクは自分に与えられた『残り時間』に不安を抱きつつも、

「いいよ」

と言っていた。

二人は早速入院している患者を見て回ることにした。

四階は全て個室で、皆、見ず知らずの子供二人が突然入ってきたので驚いていたが、二人は患者にあれこれ聞かれる前に部屋を出て行った。

四階にいる患者は大輔以外深刻な病気は抱えておらず、二人は三階におりた。

テクはすぐさま、点滴をぶら下げながらこちらにやってくる、小学一、二年生くらいの女の子に注目した。

明らかに数字の桁《けた》が少ないからである。

女の子に残された時間は、あと『６４０６３０００』秒であり、計算すると約二年の命であった。

それを玖美に伝えると玖美は酷《ひど》く落ち込み、

「まだあんなに小さいのに、可哀想だよ」

今にも泣きそうな声で言った。

玖美はテクの袖《そで》を摑《つか》み、

「あの子に、時間をあげて」

テクは迷わず、

「いいよ」

と言った。

玖美は女の子に歩み寄ると笑顔で話しかけた。

「お名前は？」

女の子は人見知りせず、

「増田《ますだ》彩花《あやか》です」

と元気よく答えた。

玖美は自分の名前を告げるとそれ以上は何も聞かず、テクに目で合図した。

テクは女の子の手を取ると目を閉じ、時間を与える。

また少し、テクの『残り時間』が減った。

テクが玖美に頷くと、玖美は女の子の頭を優しく撫《な》で、

「ばいばい、またね」

と言った。女の子は首を傾げながらも、

「ばいばい」

と手を振った。

その後もテクは、玖美に正直に患者たちの『残り時間』を告げ、この日だけで五人

に時間を与えた。

しかしテクは玖美に一つだけ嘘をついていた。

それは、患者に与えた時間だ。

玖美はこの先も、ことあるごとに人間の寿命を聞き、その人間の寿命が短ければ、三ヶ月時間を与えてほしいと頼むだろう。

それを知っているテクはこの日一人に対し『86400』秒、つまり十日分しか与えていなかったのだ。


翌週の日曜日、千葉市にある大和《やまと》サッカー場で『ジュニアリーグ』が開催された。

この日会場には関東の少年サッカークラブチームが十六チーム集まり、千葉県代表として出場する『ミサキSC』のメンバーの中に、大輔の姿があった。

この日、テクと玖美とおばあちゃんの三人は朝早くから大輔の応援にかけつけた。

客席には岬村の人間もおり、テクを見るなり村民はテクから離れていく。しかし大輔の両親だけは違い、二人は遠く離れた保護者席に座っていたのだが、テクを見るなり立ち上がり、深く頭を下げたのである。

大輔も三人に気づくと手を振り、テクに視線を向けると拳《こぶし》を胸にあて、口を開いた。

周りの声に消されて耳には届かなかったが、ありがとう、と言ったのが分かった。

午前十時、いよいよ『ミサキSC』の第一試合が始まった。

相手は神奈川代表のチームで、去年の優勝チームであった。

この大会はトーナメント形式なので、無論ここで負けたら一試合だけで終わってしまう。

テクと玖美は、大輔にとってこの大会が最後だということを知っている。

せめてこの試合は勝たせてあげたい、最低もう一試合だけはさせてあげたい、という思いを抱きながら応援した。

しかし試合が始まってすぐに二人の心配は吹き飛んだ。

長い間サッカーができなかった鬱憤《うっぷん》を晴らすかのように大輔は前半から大暴れし、開始二十分で二得点を挙げ、後半チームメイトが更に二点を追加し、四対一で快勝したのである。

二試合目は群馬県代表のチームと当たり、エースナンバーをつけた大輔の活躍で準決勝へとコマを進め、準決勝では大輔がハットトリックを決めるなどの一人舞台で『ミサキSC』は決勝戦へと進んだのである。

決勝の相手は東京代表のチームで、全チームと全観客が見守る中、午後四時いよいよキックオフの笛が鳴らされた。

大輔はここまで三試合走り回っているが全く疲れなどなく、ディフェンスからオフェンスまで全てをこなし、フィールドを駆け回った。

しかしこれまでの三試合とは違い相手の守備も固く、前半同点のままハーフタイムとなり、十五分後、後半開始の笛が鳴らされた。

後半も決勝戦らしく一進一退の攻防が続き、さすがの大輔にも疲れの色が見え始めた。

テクと玖美は、肩で息をしながら一生懸命プレイする大輔の姿を目に焼き付ける。

玖美は目に涙を浮かべながら言った。

「優勝させてあげたいね」

テクは大輔の姿を見つめながら首を縦に動かした。

その二人の願いが届いたのか、後半残り一分を切った頃だった。

大輔のチームメイトが相手ディフェンダーからボールを奪った瞬間、大輔が賭《か》けに出るように一気に駆けだしたのだ。

チームメイトはカウンターをしかける大輔にボールをパスし、少し位置がずれたが、大輔は最後の力を振り絞ってコーナーギリギリでボールに追いついた。

前にはディフェンダーが三人。

後ろから味方が走ってきているが、大輔は一人二人とかわしていく。

三人目がスライディングをしてきたが、それもうまくかわしてキーパーとの一対一となった。

大輔がゴールエリアに入ると同時にゴールキーパーが飛び出してきた。

二人は交錯し、ボールはゴールへと転がっていく。

二人は同時に立ち上がり、一歩早く追いついた大輔が強引にゴールへとねじ込んだのである。

テクは思わず叫んでいた。こんなにも熱狂したのは五十年間で初めてではないか。

テクと玖美の声に気づいた大輔が二人を振り返りガッツポーズを見せた。二人も大輔にガッツポーズで返した。

その後ロスタイムに移ったが、『ミサキSC』は一点を守りきり、見事優勝を果たしたのである。

試合終了後すぐに閉会式が行われ、トロフィーは六年生のキャプテンに渡されたが、MVPには大輔が選ばれ、その後『ミサキSC』は大輔を中心に記念撮影を行い、大輔にとって最後の大会は幕を閉じたのである。

それから、約一ヶ月半後のことであった。

夢が覚めたかのように再び大輔は倒れ、それから半年後の五月十五日、壮絶な闘病生活の末、息を引き取ったのだった……。

大輔の死から二週間が経ち、気づけば玖美と出会ってもうじき一年が経とうとしているが、岬村の村民は大輔の死後、以前よりも過剰にテクを恐れ、忌み嫌った。テクが『疫病神』であり、近づくと死ぬ、というのは無論出鱈目《でたらめ》であり、むしろテクのおかげで大輔は最後の大会にも出場でき、三ヶ月間長く生きられたわけだが、大輔が死んだことで何も知らない村民たちは、あの噂はやはり真実であり、テクが大輔に近づいたから、大輔は白血病に冒され死んだのだと思い込んだのである。

テクは、村民たちの目に触れぬよう毎日玖美の家の近くにある公園に隠れていた。

この日もそうだ。

テクは村民たちを恐れてはいないが、ずっと土管の中でぼんやりと薄暗い空を眺めていた。

やがてポツポツと雨が降りだし、テクは雨を見ていると、一年前玖美と初めて会った日の出来事を思い出す。

あることを決意したのは、その直後だった……。

午後四時を過ぎた頃、玖美が傘を差してやってきた。右手にはもう一本傘を持っている。

玖美は土管の中を覗《のぞ》くと、

「やっぱりここにいたのね」

と言った。

「うん」

「私も入っていい？」

「うん」

玖美は身体を小さくして土管の中に入り、テクの隣に座った。

こうして座っていると分からないが、玖美はこの一年で身長が伸び、今はテクよりも五センチほど高くなっている。

「ねえテクちゃん」

「うん？」

「どうして、人間には『寿命』があるんだろうね。ずっと生きられたら、大輔くんの時みたいに悲しむことはないのに」

どうして寿命があるのか、テクは考えたこともなかった。

「生まれて死ぬ、というのが、自然の摂理だから、としか言えないね」

「私のお父さんとお母さんもそう。どうして私の大切な人ばかり死んでしまうの？」

テクは、それが運命だから、とは言えなかった。

「私、大輔くんが死んでしまってからずっと元気がなかったでしょ」

「うん」

「でも、いつまでも暗いままだったら大輔くんが悲しむと思って、元気がなくても明るくいようって決めた」

「その方が、いいね」

「それでね、私決めたの」

「何を？」

「私お医者さんか、看護師さんになりたい。病気の人たちを助けてあげたいの」

テクは玖美が夢を見つけたことが嬉《うれ》しくて、この日初めて笑った。

「玖美ならきっと、なれるよ」

「テクちゃん、これからずっと私のこと、応援してね」

テクが考えていることをまるで知っているかのような言葉であった。

「応援する」

テクはそう言ったが、顔から笑みが消えた。

「でも」

「何？」

「俺はもう岬村に住むのは止めるよ」

玖美が素早くテクを見た。

「どうして？　みんなのこと、気にしてるの？」

「そうじゃない。別にどう思われようが、俺は気にしない。俺は玖美が心配なんだ」

「私が？」

「これ以上俺といたら、玖美まで村にいられなくなる」

「そんな大袈裟《おおげさ》だよ」

「いや、そういうもんなんだ、この世の中」

玖美はテクの横顔を見つめ、恐る恐る尋ねた。

「もしかしてテクちゃん、私とお別れしようって思ってる？」

テクは薄い笑みを浮かべ、

「そんな心配しなくていいよ」

「だって」

「俺は岬村から出ると言っただけだ。これからは隣町のどこかで生活するよ。だから玖美が休みの時、隣町で遊ぼう」

考え込む玖美にテクは続けて言った。

「それに休みじゃない時も、こっそり岬村に来るかもしれない。村の人たちに気づかれないように、玖美を陰で見守ってるよ」

時を同じくして、黄色い帽子の少年も、テクと玖美と同様大切な命を失おうとしていた。

少年もまた、老婆と一緒に住むようになってから一年が経とうとしており、相変わらず、朝早くに黒いランドセルを背負って公園に行く日々が続いていた。

この日もそうだった。公園でゲームをしながら時間を潰《つぶ》し、四時前に家に着いた。

家の中はいつもと変わらぬ光景で、着物姿の老婆がハタキで埃《ほこり》を落としていた。

その平和な光景に心を和ませた少年はランドセルを置きベランダに向かった。そして、犬小屋にいるシロに声をかけたのである。

少年は、次の瞬間には老婆を呼んでいた。

いつもは、老犬であるが故に犬小屋から出てくることはないものの、伏せをして外の景色をじっと見つめているのだが、少年が声をかけた時には横倒れになっていて、苦しそうに呼吸をしていたのだ。

愛犬の異変に老婆はただただ慌てるばかりで何もすることができなかったので、少年が動物病院に連絡し、獣医を呼んだ。

そして今、二人はシロを抱えながら獣医を待っている。

しかし、もう手遅れであった。

先《さっき》までずっと苦しそうに息をしていたシロだが、段々呼吸が弱くなっている。

老婆はシロを軽く揺すって、

「シロ、元気になってちょうだい」

懸命に声をかける。

少年はこれまでたくさんの死を見てきたが、こんなにも辛《つら》い気持ちになるのは初めてだった。

シロはいつも寝てばかりで、声をかけても無反応。散歩にだって一緒に行ったことはない。だから、特別な思い出があるわけではない。

でも、大切な家族だった。

少年が与えられる時間は僅《わず》か『86400』秒しかないが、できることならもう少しシロを生かしたいと思った。

でもそれは無理だった。

動物病院に連絡してからすぐ、時間を与えられるかどうか試みたのだ。

しかし、『86400』という数字は一秒たりとも減らなかった……。

「シロ！　シロ！」

老婆がシロを強く揺すった。ずっとうっすらと目を開けていたシロが静かに目を閉じたのだ。

呼吸も、止まっている。

老婆はシロを抱きしめて泣いた。

隣にいる少年は、静かに旅立っていったシロを優しく撫《な》でる。しかし人間みたいに涙は出ない……。

それからしばらくして獣医がやってきて、二人は改めてシロの死を告げられた。死因は、老衰だった。

その後少年と老婆は犬小屋の隣に穴を掘ってそこにシロを埋めてあげた。

しかし老婆は傍から離れようとはせず、犬小屋を見つめたままずっと泣いている。

少年は、老婆の悲しむ姿がとても辛くて、隣に座ると優しく抱きしめた。

「もう、お願いだから泣かないで」

老婆は頷《うなず》くものの、笑顔を見せてはくれない。

「僕が一生傍にいるから」

そう言った後、少し言いづらそうに、

「直弥が、いるから」

初めて自分のことを『直弥』と言ったのだった。

少年には、老婆が自分の本当の母親で、自分が本当に『直弥』だったのかは分からない。

それ故に少年の頭のどこかには『直弥のフリ』という意識があり、心のどこかでは、老婆が自分のことを『直弥』ではないと気づいたら、家を出て行こうと思っていた。

でも最近考えが変わった。

口には出さないが、老婆を本当の母親と想うようになり、自分は直弥のフリをして生きていくのではなくて、『直弥』なんだと想うようになったのだ。

少年は今、老婆が死ぬまで傍にいてあげたい、昔できなかった親孝行をたくさんしてあげたい、と想っている。

もう一度老婆を抱きしめる。そして恥ずかしそうに言ったのだ。

「お母さん……」


公園で玖美とサヨナラしたテクは一年間過ごした岬村から姿を消した。そして新たな寝床を探すため、隣町に向かったのである。

寝床はなるだけ岬村から近い場所が理想で、テクは二時間ほど探した末、岬村との境にある、小さな公園で生活することに決めた。

都合良く、今までと同じような土管の遊具がある。この中にいれば人間に気づかれにくい。

テクは土管の遊具の中で、玖美の姿を思い浮かべる。

数時間前まで一緒にいたのに、玖美は今何をしているんだろう、と想った。

まずは玖美にこの場所を教えなければならない。

でもしばらくは岬村には行かない方がいい。

一ヶ月くらいは、時間を置いた方がいいのかもしれない。

そう想うから余計に玖美に会いたいと想う。

土管の中で仰向《あおむ》けになっていたテクはひょいと起き上がると土管から出た。

一ヶ月もここにいるなんて退屈すぎる、と頭の中で叫んだテクは公園を後にした。

特別な理由はない。ただ何となく、時計台に行きたくなったのだ。

テクは道路の標識を頼りに横浜を目指す。

桜木町駅の目の前にある時計台に着いたのは、翌朝の十時前だった。玖美のことを考えながらゆっくりと歩いてきたので思った以上に時間がかかってしまった。

ここに来るのは約一年ぶりだ。しかし何も変わっていない。

時計台の下には先客がいた。

黄色い帽子を被《かぶ》った少年、直弥であった。

直弥は黒いランドセルを背負いながら、ポータブルゲーム機で遊んでいる。

テクは無論少年の名を知らない。

「やあ、久しぶりだね」

声をかけても直弥はゲームに夢中でテクには気づかない。

「相変わらずだな」

肩に手を置くと、ようやく直弥が顔を上げた。

直弥はゲームの成績があまりよくなかったのか不機嫌そうな顔であったが、テクを見るなり目を輝かせた。

しかし直弥もまた、テクの名を知らず、

「やあ！」

いつもと変わらぬ挨拶《あいさつ》であった。

「岬村で別れて以来だね。ここにいるとはな」

テクが言った。

「そうだね、もう一年だね」

「ところで、どうしてランドセルなんて背負っているんだい？」

直弥はランドセルを一瞥《いちべつ》すると苦笑した。

「ああ、これはね」

テクは直弥から全ての事情を聞くと、時計台を見つめながら呟《つぶや》いた。

「そうか、俺たちはずっと昔は人間で、生まれ変わった……」

「実際のところは分からない。でも、僕はそう信じている」

テクは直弥を見つめ、

「本当のお母さんに会えて良かったね、直弥」

話の途中少年の名を知ったテクは、少し違和感があったが、『直弥』と言った。

「実は俺にも今、名前があるんだ」

「え、教えて教えて」

「少し恥ずかしいけど、テクちゃん、て呼ばれてる」

直弥は馬鹿にはせず、

「もしかして、玖美ちゃんがつけてくれたんじゃないのかい？」

「よく分かったね。そう、実はこの一年ずっと玖美といたんだ」

テクは直弥と同様、この一年間の出来事を全て話した。

「その大輔くんが死んでから、皆益々《ますます》俺を恐れるようになってしまって、岬村には住めなくなってしまったんだ。全て、奴のせいだよ」

奴とは言うまでもなく、黒いネックレスの『使者』である。

「しかしまあ奴のおかげで、直弥とこうして再会できたわけだけどね」

直弥はテクを不憫《ふびん》そうに見つめていたが、

「うん、僕もいつもはさっき話したように家の近くの公園で時間を潰《つぶ》しているんだけど、今日は何となく時計台に来たくなってさ。僕たち、やっぱり見えない何かで繋《つな》がっているんだね」

テクは直弥の最後の言葉に思わずフッと笑い、

「見えない何かで繋がっている……か」

と呟いた。

奴も全く同じことを言っていたな、とテクは思った。

それから二人は特に会話はせず、時計台の下でぼんやりと時間を過ごしていたのだが、

「あら二人とも！」

知っている声が聞こえて、テクと直弥は同時に声の方に視線を向けた。

そこには心美の姿があった。

二人は一瞬心美の変わりように驚き、心美に歩み寄った。

「久しぶりだね。君も横浜にいたのか。それにしても、何だか随分と変わったな」

テクの言葉に直弥がうんうんと頷く。

一年前とは比べものにならないほど、髪や爪が綺麗《きれい》になり、着ている物も、白いドレスに赤いハイヒールとお洒落《しゃれ》である。

心美はフフと自慢気に笑い、

「そうでしょ？　私可愛いでしょ？」

「う、うん。驚いた」

直弥が素直に認めると、心美はまた満足そうに笑った。しかしすぐさまテクに鋭い視線を向けると、

「て言うか、私はもう『君』じゃないの。『心美』っていう名前があるんだからね」

と注意した。

テクは考えるまでもなく心美に告げた。

「そうか、君も大切な人と出会ったんだな」

テクが言うと心美はそうと頷《うなず》くが、すぐにハッとして、

「だから心美だってば！」

身体全体で叫んだのだった。


心美は、一年前に宮田孝一と出会い、その宮田が『心美』と名付けてくれたことを二人に話した。

「それで今は、先生と一緒に暮らしてるの。すぐそこのマンションなのよ」

「へえ、心美ちゃんが人間と暮らしているなんてね」

直弥が意外そうに言った。

「ただ暮らしているだけじゃないのよ。私は今、ちゃんとした女性になるための勉強をしているの」

「ちゃんとした女性になるための、勉強？」

直弥が聞き返すと、

「そう、料理や洗濯や掃除、そういった生活に必要な技術を身につけようって頑張ってる」

「へえ、お洒落をすることばかり考えていると思ってた」

心美は直弥にべぇと舌を出し、

「私だってそれくらいできるわよ」

と言った。

「本当に、変わったんだ」

テクが言うと心美は苦笑し、

「料理はまだ下手だけどね。でも、最初よりは色々できるようになった」

「心美ちゃんはその宮田先生って人が大好きなんだね」

直弥の言葉に心美は照れながらも素直に頷いた。

「私を、本当の人間として見てくれているから」

この瞬間、三人が三人とも自分の大切な人を思い浮かべた。

すると直弥が突然フフと笑った。

「な、何がおかしいのよ」

直弥は慌てて手を振り、

「ちがうちがう、心美ちゃんのことじゃない」

「じゃあ何で笑ったのよ」

「この僕たちが、同じ時期に特別な人に出会うなんて、と思ったんだ。これって、偶然じゃないよね」

「え、私だけじゃないの？」

テクと直弥は頷き、それぞれこの一年間の出来事を心美に話したのだった。

心美はテクと直弥を交互に見つめ、

「そう、二人にも名前がね」

と言った。

「直弥と」

心美は直弥からテクに視線を向けると馬鹿にするように笑った。

「テクちゃんね」

「な、何がおかしいんだよ」

「だってテクちゃん、てね」

「べ、別にいい名前だろ」

すかさず直弥が割って入った。

「まあまあ二人とも、喧嘩《けんか》はよそうよ。それより」

「それより？」

心美が聞き返すと、直弥はこう言った。

「僕と心美ちゃんは横浜だから、またすぐに会えると思うけど、テクちゃんは千葉だろう？　もしかしたら、また長く会えないかもしれないね」

「今日が最後かもな」

テクがそう言うと、直弥は寂しそうな表情を浮かべ、

「そんな悲しいこと言わないでよ」

「冗談冗談。気が向いたら、またくるさ」

心美は何も言わないが、一瞬安堵《あんど》した表情を見せた。

「約束だよ？」

テクは直弥に頷き、

「約束。近い将来、またここで会おう」

と言った。

時計台の下で再会を誓う三人の姿を、遠くからじっと見据えている者がいた。

黒いネックレスの少年である。今は十字架のペンダントヘッドではなく、『黒い羽』をつけている。

彼はテクに言った。

「ほおら言ったろ、僕たちは見えない何かで繋がっているんだ、と」

少年は言葉通り、テクをつけていた訳でも何でもなく、ただの気まぐれで時計台の下にやってきたのである。

しかしこうして再会したのは偶然ではない、運命なのだ、と心の中で言った。

黒いネックレスの少年は、三人の会話全てを聞いてはおらず、彼はテクの名前も、再び千葉に戻ることも知らない。

それ故に、自分が撒《ま》き散らした噂が原因で、横浜に戻ってきたのだと思い込んでいる。

少年はほくそ笑んだ。そして、君に幸せは似合わない、とテクに言った。

「さあてこれからどうしようか」

少年はテクを見据えながら呟《つぶや》く。

また悪戯《いたずら》して困らせてやろうかと思ったが、少年は三人に背を向け、

「またいつか、どこかで会おう」

とテクに向かって言うとその場を去った。


黒いネックレスの少年は宛てもなく歩いていたが、ふと立ち止まり、桜木町の景色をぐるりと見渡した。

仲良さそうに手を繋《つな》ぐ老夫婦。お互いの顔を見つめ合うカップル。遊園地で遊ぶ親子。

どこを見てもどこに行っても平和で退屈すぎる、と少年は心の中で叫んだ。

少年は思う。

人間の無様さや、弱さ、愚かさ、そして儚《はかな》さを見たい、と。

そして少年は願う。人間どもが恐怖に怯《おび》え、パニックに陥るような事件が起こらないか、と。

少年はこれまで人間たちに寿命を教え、死に怯える姿を見たり、子供の姿をした自分を崇拝する人間たちを見て楽しんできたが、それはもう飽きた。規模が小さすぎる

のだ。

理想は、この平和ボケした日本が戦争に巻き込まれ、敗北する光景を見たい……。

少年は妄想を浮かべ一人怪しげに笑う。

その時であった。

街中に、ある男の声が響いた。

『戦争が起こり、日本は敗北するであろう！』

少年は今まさにそれを期待しており、突然男が発した予言に興味を抱いた少年は、声が聞こえた桜木町駅の方に歩を進めた。

駅の前には人だかりができており、少年は人をかき分け、皆に予言を告げる男の姿を見た。

マイクを片手に予言を発した男は、勅使河原宝玉《てしがわらほうぎょく》であった。

百五十センチほどと小柄な勅使河原は狐のように目が細く、長い髪を一本に束ね、顎《あご》には立派な髭《ひげ》を蓄え、まるで映画や漫画に出てくる仙人のように白装束をまとっている。

彼の後ろには、同じく白装束をまとった信者が百人以上おり、全員真剣な目つきで勅使河原宝玉の後ろ姿を見つめている。

そんな彼らとは対照的に、黒いネックレスの少年は勅使河原の姿を見た途端、心の中で『ふざけるな』と叫んでいた。

勅使河原宝玉は日本中が知る予言者であり、勅使河原は自らを『グレートプロパー』と呼んでいる。

しかしそれはあくまで自称だと少年は思っており、勅使河原のことを認めていない。

勅使河原が世に出てきたのは、今から約三年前。当時五十歳だった勅使河原は突如世界に向け、一週間後の四月十日にシカゴで大震災が発生すると予言し、その一週間後、実際にシカゴ近郊を震源とした大地震が発生したのである。

その翌日には世界中の新聞紙面が勅使河原の予言を取り上げ、大予言を的中させた勅使河原の元には多くの信者が集まり、勅使河原は一躍時の人となった。

しかし、予言を的中させたのは最初のそれだけであった。

勅使河原はその後も次々と日本や世界に向けて予言を伝えたが何も起こらず、ただ世間を騒がせるだけの結果となった。それ故、少年は勅使河原のことを『ペテン師』だと思っており、勅使河原を見た途端怒りと落胆が込み上げたのであった。

しかしそんな少年とは違い、未《いま》だ大勢の人々が勅使河原の予言を恐れている。

その証拠に、白装束をまとった男女はもちろん、駅前にいる多くの人々も勅使河原の予言に真剣に聞き入っているのだ。

『三日後！　日本に核が投下され、第三次世界大戦が起こり、日本は敗北するであろう！』

勅使河原はもう一度大勢の人々に予言を告げると、三日後に訪れる危機に備えるよう叫んだ。

少年は呆《あき》れながらも未だ勅使河原のことを黙って見つめていたが、予言者ぶっている勅使河原と、彼の予言を恐れている多くの人間を見ていると段々意地悪したくなって、突然勅使河原に向かってこう叫んだ。

「どうせまた何も起こらないんだろう？」

少年に侮辱された勅使河原はピタと動作が止まり、狐のような細い目で少年を見た。後ろにいる信者や、周りにいる大勢の人々も、一斉に少年に視線を向けた。

険悪な空気が流れる中、少年は笑いながらもう一度言った。

「起こらない起こらない。あんたの予言はいつも当たらないじゃないか。最初の予言は、偶然当たっただけだろう？」

勅使河原は一瞬動揺した様子を見せたが、

「面白いことを言う」

余裕の表情で少年に言った。

少年は、勅使河原の中で嵐が吹き荒れていることを知っているが、構わずこう告げた。

「勘違いしないでほしい。正直僕は、あなたの三日後の予言が当たってほしいと思っているんだ。でも、今回もきっと当たらないよ。だってあなたは『ペテン師』だから」

最後の言葉を言った途端、勅使河原の身体が急に震えだした。しかし何も言わずに耐えており、少年は小さな声で、

「つまらないの」

と言った。

すると、白装束をまとった信者の一人がこう叫んだ。

「先生を侮辱するのは許さんぞ！　子供だからといって、タダで済むと思うな！」

しかし少年は臆《おく》すどころか、鼻でフフと笑った。

そんな少年を、狐のような細い目でじっと見据えていた勅使河原が、突然少年の方に右手を伸ばし、目を瞑《つぶ》りながらこう言ったのである。

「三日後に分かる。そして、私を侮辱する者には天罰が下る」

無論少年には効かず、それどころか益々《ますます》馬鹿にしたように、

「予言者が天罰か」

と言った。

その言葉に信者たちは一層怒りを露《あら》わにし、今にも少年に襲いかかりそうな勢いで

あった。

それを知った少年は、勅使河原の頭上を見た。

勅使河原の『残り時間』は『562464761』秒であり、あと何年生きられるか計算した少年は勅使河原に告げた。

「逆に僕が予言するよ」

その言葉に勅使河原の細い目がパッと開いた。

少年は薄い笑みを浮かべながら、

「あなたの寿命をね。あなたは、十八年後の三月に死ぬよ」

突然の宣告に勅使河原は一瞬驚きの色を浮かべたが、

「私が十八年後の三月に死ぬ？　フフ、面白いことを言う子供だ」

と言った。

すると少年は先とは打って変わって真剣な目つきになり、

「本当だよ」

低い声でそう言うと、勅使河原の元から去ったのであった……。

黒いネックレスの少年は、道端に落ちているペットボトルを思い切り蹴《け》った。

「何が予言だよ」
今ごろ桜木町駅はどんな様子だろう、と少年は考える。
勅使河原が怒りと動揺に震えている姿を想像した少年はクスクスと笑った。
だがすぐに虚《むな》しい気持ちになり、溜息《ためいき》を吐いた。
「面白いのは一瞬だったな。また退屈だ」
少年はそう呟《つぶや》き、つまらなそうに歩く。
これからどうしようか。
心の中で言った、その刹那《せつな》であった。
少年の足が、ピタと止まった。
「そうか、予言か」
ある計画を思いついた少年は忽《たちま》ち興奮した。
己の力をもってすれば必ず計画は成功させられる。
しかし今すぐに計画を実行するのは不可能である。まずは、今までしてきたように
『信者』を集めることだ。
ただ、勅使河原みたいに百や二百のそんな少人数では意味がない。
一万、いや十万の『信者』を集めるのだ。
十年後、いや二十年後になるかもしれないが、十万の『信者』が集まった時、戦争

には及ばないにせよ、必ず日本中が大混乱に陥るであろう。
その光景を思い描いた少年は、空に向かって大声で笑った……。

１５年後

十月もまだ初めであるが、夜になると秋風から急に木枯らしが吹きすさび、凍《い》てつくような寒さに人々は身を縮めながら歩いてゆく。

そんな中、テク一人だけは平然とスマートフォンのアプリゲームで時間を潰《つぶ》していた。

一応ダウンジャケットを羽織っているが人間のように寒さは感じない。

ただ人間と同じく、『退屈さ』は感じる。

玖美から、『そろそろ出ます』というメールが入ってからもう三十分近く経っているのだ。

テクのすぐ目の前には『千葉国立病院』があり、時刻は六時を過ぎ、空は真っ暗であるが、未《いま》だ患者が往来している。

玖美が病院から出てきたのはそれから更に三十分もしてからであった。

玖美はトートバッグを片手に走ってやってきた。

テクは腕を組み、

「遅いよ」

自分よりも二十センチ程高い玖美を見上げて言った。

玖美はテクの目線の高さまで屈《かが》み、

「ごめんテクちゃん、患者さんの容態が急変して」

手を合わせながら言った。

「それなら仕方ないけど。それで、その患者さん大丈夫だった？」

「うん。何とか」

「そう、それなら良かった。じゃあご飯食べに行こう」

テクは空腹を感じることはないが、玖美にそう言った。夜に会う時は晩ご飯を一緒に食べて、その後玖美をバス停で見送るのがいつもの流れだ。

テクは気分を弾ませ歩き出す。しかしすぐに、玖美が立ち止まったままであることに気づき振り返った。

「どうしたの？　玖美」

テクは一瞬玖美が暗い表情であったのが気になった。

「ううん、何でもない。今日は何食べようかしら。いつものハンバーグ屋さんに行こうか」

そこは週に一度は訪れる、玖美が一番お気に入りの場所であった。

「うん、いいよ」

テクは、玖美に買ってもらったダウンジャケットのポケットに、玖美が契約している携帯電話をしまった。

携帯電話の電話帳に登録されているのは、『立岡玖美』ただ一人だけである。


あれから早いもので十五年以上の歳月が経った。

玖美は今年二十七歳になり、精神的には大人になったが、見た目はまだ大学生のようで幼く、それ故にテクは玖美が大人になった実感がない。

しかしテクにとってはその方が嬉《うれ》しい。昔の可愛らしい玖美のまま、大人になってくれたから。

彼女は現在、『千葉国立病院』の内科で看護師をしている。

横島大輔の死をきっかけに、人命を救う仕事に就くと決めた玖美は、中学こそ岬村の学校であったが、高校は千葉の国立に進学した。

そして高校二年の時だった。千葉の大学病院に職業見学に行った際、玖美は看護師の働く姿に感動し、それ以来看護師に憧《あこが》れを抱くようになり、高校を卒業すると看護学校に進学。そしてその三年後、『千葉国立病院』に就職したのである。

それ以来、テクは病院の近くにある公園に引っ越し、今日のように玖美の仕事が夜に終わる時に会っている。そんな生活がもう六年近く続いている。

今は大体週に三日程しかこうして会うことができないが、テクは時の流れとともに生活が変化していくのを理解している。

それ故テクは昔が懐かしい。

玖美が看護師になる前は、テクは毎日のように玖美に会っていた。玖美が気づいていない時もずっと近くにおり、成長を見守ってきたのだ……。

玖美は正しい道を選んだと思う。玖美は世界一思い遣《や》りのある人間だから、性格的にも看護師が向いていたのだ。


二人の行きつけである『ハンバーグステーキ・エルドラド』は、ボリュームある外国産牛肉のハンバーグステーキが売りで、連日若者で賑《にぎ》わっている。

テクと玖美が店に入ると、いつもの若い女性店員が席に案内してくれた。

店員は何も違和感を抱いてなさそうだが、実際自分たちのことをどう見ているんだろう、とテクは思う。

店にやってくる頻度は恋人のようであるが、見た目は親子か、親戚《しんせき》だ。きっと彼女もそう思っているんだろうなとテクは思った。

料理を注文し、アメリカンスタイルの見慣れた店内を見渡していると、二人の前に特製ソースのかかったハンバーグステーキが運ばれた。

テクは食べなくても生きていけるが、玖美と同様このハンバーグステーキが大好物で、あっという間に平らげてしまった。

しかしテクとは対照的に、玖美はまだ半分以上も残っており、ナイフとフォークを持つ手が止まってしまっている。

何か考え事をしている玖美に、

「さっきからどうしたの玖美」

声をかけると玖美はハッとして、

「ううん、何でもない」

と言って、ぼんやりとハンバーグを一口食べた。

「ああそうだテクちゃん」

玖美が誤魔化すように話題を変えた。

「再来週の日曜日、横浜に行くことになったんだけど、一緒に行かない？」

「どうして横浜に？」

「高校時代の友達が今横浜に住んでいて、休みが合ったから、ランチすることになったのよ」

「え、でも俺が行ったら変に思われるよ」

テクは、玖美が自分の存在を誰にも話していないのを知っている。

「うん、だからテクちゃんは少しの間どこかで時間を潰してて。友達と別れたら、久しぶりに時計台に行きましょう、テクちゃんが生まれた」

テクは笑いながら、

「別に、時計台で生まれたわけじゃないよ」

と言った。

「そっかそっか、言い方変だったね」

「玖美がいいなら、行くけど」

テクと玖美はこれまでに三回横浜に遊びに行っており、三回とも時計台を訪れている。

その度に直弥と心美のことを思い出し、今も二人の存在が頭に浮かんでいる。あれから十五年が経ったが、二人はどうしているだろう。あれ以来、一度も会っていないのだ。

店を出た二人は、まっすぐバス停に向かう。

玖美は病院の近くには住まず、未《いま》だ岬村でおばあちゃんと暮らしている。

テクは次いつ会えるのかが気になり、

「次の日勤はいつ？」

と聞いた。

「明日から準夜勤だから、次は四日後かな」

テクは平然としているが、四日間も玖美とご飯に行けないのか、と残念に思う。

玖美には内緒で、病院に行こうかなと考えていた。

「それなら」

テクは玖美を見上げ話しかけたが、玖美はまた考え事をしている様子だった。

「ねえどうしたの？　何か悩み事があるなら、話してよ」

「ううん、何でもないの」

と言ったが、バス停に着いた頃だった。

玖美は首を振り、

「ねえテクちゃん、やっぱりテクちゃんにお願いがある」

深刻そうな表情で、口を開いた。

テクは、玖美が何を言おうとしているのかを知っている。

「医療の仕事に就く私が、テクちゃんの力ばかりを頼るのはどうかと思うんだけど」

「残り時間を見てほしい人がいるんだろう？　どんな病気なの？」

玖美は長い間を置いて、こう言った。

「十歳の男の子で、今日、『急性白血病』と診断された」

テクの頭を暗い過去が過《よ》ぎった。

「白血病……」

「今日一日、テクちゃんにその子を見てもらいたいって考えてた。でもどうしても白血病と聞くと、あの時のことを思いだしてしまう。だから」

そこにバスがやってきて、玖美の前で扉が開いた。

「いいよ、明日病院に行く。何時頃に行けばいい？」

「四時くらいに、来られるかな」

「分かった、四時ね」

「ありがとう、テクちゃん」

「大丈夫さ、きっと」

「私もそう信じてる」

玖美は手を振りながらバスに乗り込む。

やがて扉が閉まり、バスは走り出した。

テクは窓から手を振る玖美に笑みを見せる。

しかし、玖美の姿が見えなくなった途端、顔から笑みを消した。


翌日、テクは四時過ぎに『千葉国立病院』に到着した。

この日も相変わらず患者の数は多く、テクは患者に紛れて中に入る。これまでに何百回と訪れているので堂々とした態度であった。

受付の傍にはすでに緊張で顔が強張《こわば》っている白衣姿の玖美がいた。

テクはゆっくりと玖美に歩み寄った。

しかし二人に会話はない。院内では、医者や他の看護師たちに変に思われぬよう『他人』である。

テクは玖美の後ろについていき、エレベーターに乗った。

中には誰もおらず、玖美は『3』を押すと、テクを一瞥《いちべつ》して言った。

「私が廊下に連れてくるから、テクちゃんお願いね」

テクは後ろ姿の玖美に、

「わかった」

と返事した。

二人は三階でエレベーターを降り、テクは玖美には付いていかず、エレベーターの前で男の子が現れるのを待った。

しばらくすると、一番奥の病室の扉が開き、玖美と黒いジャージを着た男の子が廊下に現れた。

男の子はテクとほぼ同じ背丈で、見る限りでは明るく腕白そうだ。

玖美と楽しそうに話しているところを見ると、どうやら本人はまだ病気のことを知らされていないようだった。

無邪気に玖美と話しながらこちらにやってくる男の子を見ていると、テクは横島大輔のことを思い出す。

暗い過去を振り払い、男の子の頭上を見た。

やがて二人とすれ違い、テクは一旦《いったん》三階から一階に降りた。

男の子の頭上に浮かんでいた数字は、『1892145542』秒だった。

計算すると残り約六十年であり、どうやら男の子は『白血病』に打ち勝つようだ。

テクは強く瞼《まぶた》を閉じて大きな息を吐いた。

目を閉じたテクには、自分が人間に与えられる秒数が見えている。

残り『7783200』秒。日数で換算すると、僅《わず》か九十日と二時間だ。

テクが心底安堵《あんど》したのは、男の子の寿命が長いからではなく、玖美に嘘をつくことも、時間を与えることもしなくてすんだからである。

横島大輔に三ヶ月分、同じ病院の患者たち五人に十日分ずつの時間を与えた時点で残り約二年と九ヶ月分の時間を持っていたテクであるが、この十五年間、特に玖美が看護師になって以来たくさんの患者を見るようになり、時間を与えてきた。

玖美が看護師になる前は、玖美が気になる人物の寿命を正直に玖美に教え、『三ヶ月』時間を与えたと嘘をついて、十日間ずつ与えてきた。

その嘘が通用したのは、それらのほとんどが通行人等の、玖美とは全く関係のない者たちばかりで、玖美には実際に三ヶ月寿命が延びたかどうか分からないからだ。

しかし玖美が看護師になってからはその嘘は通じなくなった。

玖美は患者の死と向き合うのだ。寿命を正直に告げたら、三ヶ月分の時間を与えなくては計算がおかしくなる。

それ故にテクは寿命すら正直に伝えることができなくなった。

今テクは、玖美に頼まれた患者の寿命が短かった場合、実際よりも三ヶ月長い寿命を告げて、一時間だけ与えている。

それでも、残り九十日と二時間となってしまったのだ。

これ以上、見知らぬ人間に時間を与えている余裕はないし、できれば与えたくない。

なぜならテクには今気にかけている人物がおり、一切面には出さないが、記憶が正しければその人物の死が迫っている。

テクはその人物に時間を与えたいと思っているのだ。

最近テクは、患者のことばかり心配する玖美を見て思う。

一緒に暮らしているおばあちゃんの寿命は気にならないのかと。

玖美はなぜだか、未だにおばあちゃんと自分の寿命は聞いてこないのだ。


テクの悪い予感が現実のものとなったのは、玖美と横浜に行ってから、二週間が過ぎた頃だった。

玖美から突然電話があり、玖美は泣きながらこう言ったのだ。

『最近おばあちゃん、よく胃の辺りが痛むって言っていたから、病院に連れて行ったの。そしたら先生に、膵臓《すいぞう》癌だって……。かなり進行していて、所々に転移があって、あと半年くらいしか生きられないって』

テクはおばあちゃんの死を予感していたとはいえ、とてもショックであった。

テクが、そう、と返事すると、玖美は初めて言った。

『私はもう覚悟している。でも、少しでもおばあちゃんに長く生きてほしいの。

今まで、おばあちゃんの寿命を聞くのはとても怖かったから聞けなかった。でもテクちゃんに見てほしい。そしておばあちゃんに、時間を与えてほしい』

翌日、ちょうど玖美の仕事が休みだったので、テクは昼前に着くように現在住んでいる公園を朝六時に出て、岬村を目指した。そして十一時過ぎ頃、岬村に到着した。

一年間生活した岬村にやってきたのは何年ぶりであろう。

三年ぶりくらいだろうか、意外と時間は経っていない。

テクは、岬村から出た後も、村民たちに気づかれぬようこっそり玖美に会いに来ていたことを懐かしく思う。

でも、玖美が中学に上がったくらいからおばあちゃんには会っていない。

なぜならおばあちゃんには、自分が『使者』であることを伝えていないから……。

テクは『立岡』と表札がかかった古い平屋を見上げると、

「全然変わらないや」

と呟《つぶや》き、玄関扉を開けた。

すると、割烹着《かっぽうぎ》姿のおばあちゃんがゆっくりとした足取りでやってきた。

テクはおばあちゃんを見た瞬間、とても悲しい想いを抱いた。

髪は未《いま》だに黒々としているが、皺《しわ》が増え、ふくよかだった身体は痩《や》せ細り、足もかなり悪そうだ。

おばあちゃんの頭上には、『１３３９１８９０』という数字が見え、一秒、また一秒と減っている。

計算すると、残り約五ヶ月の命であった。

医者の宣告通りであり、テクはまたショックを受けるが、それでも、おばあちゃんが元気なうちに会えて良かったと思った。

おばあちゃんは最初、テクがテクとは分からないようであったが、

「あんた……」

想像した通り、目の前にいるのが昔のままのテクであることに気づいたおばあちゃんは固まってしまった。

「やあ、久しぶりだねおばあちゃん」

笑顔で挨拶《あいさつ》したその時、

「ただいま」

と玄関が開き、買い物に出ていた玖美が帰ってきた。

玖美はテクを見るなり深刻な表情となり、

「テクちゃん」

と言った。

おばあちゃんはテクと玖美を見比べ、

「ほ、本当に、テクちゃんなのかい？」

と聞いた。

二人は同時に頷《うなず》き、

「おばあちゃん、実はおばあちゃんに、ずっと隠していたことがあるの」

玖美が言った。

「さあテクちゃん、上がって」

テクは玖美に返事して家に上がり、狭い居間の畳に座る。そして、家中を見渡した。

あの頃と比べると家電は全て新しくなっているが、木のテレビボードや、古い本棚や、炬燵《こたつ》はそのままで、懐かしかった。

昔はここで玖美とかくれんぼしたり、三人でお菓子を食べたりしたなあとテクは思った。

一方隣に座ったおばあちゃんはテクの身体をまじまじと見つめ、

「どうなっているんだい一体。昔に、戻ったんじゃないかい」

玖美は微笑み、

「そうじゃないよおばあちゃん」

「なら、どうして」

テクはおばあちゃんに、

「僕は人間じゃないんだ」

いきなり言った。

おばあちゃんはポカンと口を開けたまま、また固まってしまっている。

「信じられないだろうけど、僕の身体がそれを証明している。僕は年を取らない」

「確かに、テクちゃんは昔のままだねえ」

「おばあちゃん、僕は使者なんだ」

玖美がハッと顔を上げた。

「使者？」

「そう」

テクはおばあちゃんに、気づいたら桜木町駅の前にある時計台にいたことや、自分には骨も心臓もなくて、血も流れていないこと、昔は名前がなかったこと、それに見た目は子供であるが、もう六十五年以上生きていること等次々と話していった。

おばあちゃんは困惑しながらも相槌《あいづち》を打って聞いている。

テクは大きく息を吐き、言った。

「僕には、人間に時間を与えることができる。それが使者の使命なんだ」

玖美は、テクがそこまで話したことに驚いた様子を見せた。

「人間に、時間を？」

テクは玖美を一瞥《いちべつ》し、

「そう、三ヶ月間だけ、寿命を延ばすことができるんだ」

その時、おばあちゃんが一瞬不安とも、戸惑いともとれぬ、複雑な表情を見せたのをテクは見逃さなかった。

テクはもう一度玖美を一瞥すると、決意して言った。

「人間に時間を与えられるだけじゃなくて、僕には人間の寿命が見える」

おばあちゃんは一瞬ドキリとした様子を見せたが、

「そうかい、そうだったのかい」

と、昔よく見せてくれた優しい笑みで言った。

「今の話、信じられる？」

テクが真剣な目で尋ねると、おばあちゃんはああ、ああ、と頷き、

「テクちゃんが嘘をつくわけないからね。確かに今思えば、テクちゃんはそこらの子供とは少し違う雰囲気があった。しかし世の中、不思議なことがあるもんだねえ」

と、おっとりとした口調で言った。

「それで、テクちゃん」

おばあちゃんは同じ声の調子で、

「私は、あとどれくらい生きられるのかねえ？」

テクは、改めておばあちゃんの頭上を見た。

「正直に言っておくれ。おばあちゃんはもう長くはないんだろう？」

おばあちゃんは玖美に視線を向け、

「そうだろう玖美、おばあちゃん、悪い病気なんだろう？　だからテクちゃんを、ここに連れてきたんだろう」

死を恐れるどころか、優しい笑みでそう言ったのだ。

「テクちゃん」

玖美がテクの右手を握りしめる。

「いいんだよテクちゃん、おばあちゃんは、怖くないから」

テクはあまり間を置かずに言った。

「あと、約五ヶ月」

その瞬間玖美は泣き崩れた。

おばあちゃんは玖美の背中をさすりながら、「そうかい、あと五ヶ月か。ありがとうテクちゃん、ありがとう玖美」

「ごめんおばあちゃん。もっと早くに病気に気づいていれば」

自分を責める玖美に、おばあちゃんは言った。「生まれた時から死ぬ日は決まっているのだから、これはもうどうしようもないことなんだよ」

「でも僕なら、おばあちゃんの運命を少し変えられる」

おばあちゃんはテクの顔を見ると、首を横に振った。

「ありがとうテクちゃん。でもいいんだよ」

「どうして」

「むやみやたらに運命を変えちゃいけないとおばあちゃんは思うんだ。八十七歳で死ぬと決まっていたんだから、それに従わないといけないんだよ」

「むやみやたらに、運命を変えたらいけない……」

テクは無論おばあちゃんにも、与えられる時間に限度があるとは言っていない。それなのになぜおばあちゃんはそんなことを言ったのだろうかとテクは考えるが、この時はその本当の意味が分からなかった。

おばあちゃんはテクに微笑むと、

「あと五ヶ月、有り難く、そして悔いなく生きないとねえ」

テクは無意識のうちにおばあちゃんの手を取っていた。

温かい、と思った。

「おばあちゃん」

「何だいテクちゃん」

テクはおばあちゃんの手を握ったまま言った。

「何かやりたいことはない？　どこか行きたい所はない？」

おばあちゃんはしばらく考えた末、

「そうだねえ、この子のおじいちゃんとよく行った、山下公園に行きたいねえ」

と言った。

「横浜の？」

テクが聞き返すと、おばあちゃんは胸の中で泣く玖美を撫《な》でながら、

「もう、遠い遠い昔のことだよ。この子が生まれてすぐに癌で亡くなったんだけどね。おじいちゃんと結婚する前、少しの間横浜に住んでいてね、よくおじいちゃんと山下公園でデートしたんだ。死ぬ前に、もう一度あそこに行ってみたいねえ」

「わかった、じゃあ今すぐに行こう」

「今すぐにかい？」

「そう、せっかく玖美も休みだし、まだ時間も早いから」

玖美はようやく泣き止み、おばあちゃんの目を見つめると、

「行こうおばあちゃん」

と言った。この日を逃したら、もう行けなくなるかもしれないと思ったに違いない。

おばあちゃんはやれやれというように、

「そこまで言うなら、行こうかねえ」

ゆっくりと立ち上がると、玖美と一緒に出掛ける準備を始めた。

テクはその間、おばあちゃんの背中をじっと見つめていた。

おばあちゃんは勿論《もちろん》、玖美も気づいていないだろう。

テクはおばあちゃんの手を握っていた時、九十日分の時間を与えていたのだ。

これで残り『7200』秒となったが、テクは無論後悔はしていない。

ただおばあちゃんの『むやみやたらに運命を』という言葉が心に残っていた。


玖美は足の悪いおばあちゃんのために自宅にタクシーを呼び、岬村のレンタカーショップに向かうと軽自動車を借りた。

玖美が助手席におばあちゃんを座らせる。テクが後部座席に座ると、運転席に座る玖美がエンジンをかけた。

玖美は慣れない運転に少し戸惑いながらもゆっくりと発進させ、かつてテクが住んでいた隣町から高速に乗った。

「山下公園に行けるなんて嬉《うれ》しいねえ。二人のおかげだ」

おばあちゃんが流れる景色を眺めながら言った。

死を宣告されてもおばあちゃんの心は穏やかで、表情はにこやかだ。そんなおばあちゃんを見て、テクと玖美はできるだけ明るく振る舞う。

しかしふと、バックミラー越しに玖美を見ると、目には涙がたまっていた。

もしかしたらこれがおばあちゃんとの最後の遠出になるかもしれないと考えているに違いなかった……。

平日の昼間の高速はとても空《す》いていて、一時間半もかからぬうちに横浜に到着した。

高速を下りるとすぐに横浜マリンタワーが見えてきて、やがてテクの瞳《ひとみ》に海が広がる。

玖美は山下公園のすぐ隣の大型駐車場に車を止めると、助手席の扉を開けた。

「ありがとう玖美」

おばあちゃんは車から降り、駐車場を出ると周りの景色を見渡した。

「街並みは随分と変わったねえ。あれから七十年近く経っているから、ほとんど面影がないのも当たり前だねえ。でも、港町の雰囲気はそのままだ」

テクと玖美はおばあちゃんの歩調に合わせて山下公園に入る。

平日でも人は多く、芝生で寝そべるカップル、キャッチボールをして遊ぶ学生、海の景色をバックに写真を撮る家族、犬の散歩をする主婦と様々だ。

海には豪華客船として有名な『飛鳥《あすか》』が碇泊《ていはく》している。その周りを、たくさんのカモメたちが飛び回っている。

シーバス乗り場にもたくさんの人が列を作っており、山下公園から横浜駅東口までを結ぶシーバスが行き来している。

おばあちゃんは山下公園を深く懐かしみ、海を眺めながら言った。

「街並みは変わったけれど、ここから見る海の景色は変わらないねえ」

「ここでおじいちゃんとデートしたんだね」

「今の人たちと違って、おじいちゃんとはお見合いで知り合ってね。当時おじいちゃんは東京に住んでいたんだけれど、横浜にまで来てくれて、ここをよく散歩したんだよ」

「へえ」

「おじいちゃんもきっと今ごろ、天国で懐かしんでいるだろうねえ」

おばあちゃんは海を眺めながらゆっくりとした足取りでランドマークタワー方面に歩を進める。

テクと玖美はその後ろをついていく。あえて声はかけなかった。

いつしか三人は山下公園を出て、赤レンガ倉庫の傍まで来ていた。

「おばあちゃん、公園もう一周する？」

玖美が聞くと、おばあちゃんは首を振った。

「もう十分。ああ、本当に懐かしかった。二人ともありがとう。これで心置きなく死ねる」

笑いながら言うおばあちゃんに玖美は頰を膨らませ、

「もう、おばあちゃん」

と叱った。おばあちゃんはフフと笑い、

「ごめんよ」

と言った。

「他に、行きたい所はないの？」

テクが尋ねると、おばあちゃんはテクに微笑みこう言った。

「ここから桜木町は近かったねえ？」

「うん」

「それなら、最後に時計台にも行っておこうかねえ、テクちゃんが生まれた」

テクは最後の言葉に思わず笑ってしまった。

やっぱり、玖美とおばあちゃんは血が繫《つな》がっているんだなあと思った。

「別に、時計台で生まれたわけじゃないよ」

「ああ、そうだね、言い方が変だったね」

「また同じこと言ってる」

テクは二人に聞こえぬようそう言うと、クスクスと笑ったのだった。

三人は山下公園の中を通って駐車場に戻り、玖美の運転で桜木町駅に向かった。駅にはわずか五分ほどで到着し、おばあちゃんはぼんやりとランドマークタワーを眺めている。時代の変化を感じているようであった。

玖美がコインパーキングに車を止めると、おばあちゃんは自らドアを開けて車から降りた。

先《さっき》までいた港町の雰囲気とは打って変わり、商業地帯である駅周辺は喧噪《けんそう》に包まれている。

おばあちゃんは都会の雰囲気に少し落ち着かない様子で、前方に見える大きな観覧車を眺めながら言った。

「この辺りも随分と変わった。玖美と一緒に遊園地に来たのは何年くらい前だったかねえ」

「もう十五年以上は経ってるよおばあちゃん」

「そうだねえ。おばあちゃんが病気じゃなくて元気だったら、遊園地に行けたけどねえ」

「観覧車くらいだったら、乗れるかもよ」玖美が誘ったが、おばあちゃんは疲れたと

いうように、

「見ているだけで十分」

と言い、目の前にある時計台に歩を進めた。

その時すでにテクは時計台の下におり、直弥か心美がいないかと捜していた。

この前玖美と横浜に遊びに来た際も二人が来るのを待ったが二人は現れなかった。

今日こそは、とテクは期待を抱いているが、なかなか現れてはくれない。

いつしか隣にはおばあちゃんの姿があり、おばあちゃんは時計台を見上げながら言った。

「ここがテクちゃんの故郷なんだねえ」

「まあ、そんなとこ」

「さっきから誰かを捜しているのかい？」

そんな仕草は見せていないつもりだったが、おばあちゃんには分かるようだった。

「うん、僕と同じ、二人の『使者』を」

おばあちゃんは、そうかいそうかいと頷《うなず》き、

「ならもう少し待ってみようかねえ」

と言った。

「いや、もういいんだ」

あれから十五年も経っている。もしかしたら二人は大切な人に時間を与え、消えてしまったのかもしれない、とテクは考えている。

「それよりおばあちゃん、他に行きたい所はない？」

「いやもう十分。今日は本当に楽しかった。二人ともありがとう」

少し疲れた様子で言った。

「なら、これから何かしたいこととかない？」

テクが尋ねると、おばあちゃんはこう言った。

「おばあちゃんの最後の望みは、残りの人生、三人で仲良く幸せに暮らすことだよ」

「三人って、もしかして」

おばあちゃんはテクに頷いた。

「そう、テクちゃんと三人。今日からおばあちゃんの家においで」

玖美もその考えに賛成した。

「そうよテクちゃん。今日から三人で暮らそう」

「いや、でも」

「もしかして昔のこと、気にしているの？」

玖美の問いにテクは首を振った。

「違うよ。十五年も経ったんだ、みんな俺の存在すら忘れてるよ」

「じゃあ、何を悩んでいるの？」

テクは、自分がいることで二人の大切な時間を邪魔してしまうのではないかと考えていた。

そんなテクの心の内をおばあちゃんは読み取ったように、

「テクちゃんは、優しいねえ」

と言った。

「え？　どうして」

おばあちゃんは優しい顔で、ううん、と首を振り、

「テクちゃん、おばあちゃんの最後のお願い、きいておくれよ。おばあちゃん、あの頃みたいにテクちゃんと一緒にいたいんだ」

テクはまだ迷ったような表情であるが、本当は嬉《うれ》しくて、嬉しくて、たまらなかった。

「ね、テクちゃん、そうしておくれよ」

テクは顔を上げるとおばあちゃんに笑顔を見せ、元気に返事した。

「うん」

こうして三人は一緒に生活することになり、この日の夜、約十五年ぶりに一緒に食事した。

白いご飯にお味噌汁《みそしる》。おかずはサンマの塩焼きに揚げ出し豆腐。

玖美が休みの時は、いつも玖美が食事の準備をするとテクは聞いていたが、この日は全ておばあちゃんが一人で拵《こしら》えた。

味付けはいたってシンプルだが、テクにとってはどれも懐かしい味がした。

「どうテクちゃん、美味《おい》しいかい？」

テクが美味しいと返事すると、おばあちゃんはとても嬉しそうに、

「そうかいそうかい、それはよかった」

と言った。

「テクちゃんおかわりは？」

テクは空になった茶碗《ちゃわん》を玖美に差し出す。玖美は、ちょっと待っててねと言ってキッチンに向かった。

すぐに戻ってきて、テクは茶碗を受け取る。

「懐かしいな」

白いご飯を見つめながら、二人には聞こえないくらいの小さな声で言った。

テクは三人で食事している風景を見て思う。

おばあちゃんはすっかり年を取り、玖美は大人になってしまったが、三人で食事をしていると、まるで昔の続きのようであった。

食事を終えると、テク、玖美、おばあちゃんの順でお風呂《ふろ》に入り、その後三人で少しテレビを観て、この日は眠りに就いた。

翌日は玖美が日勤で朝からおらず、テクは午前中おばあちゃんと家事の手伝いをし、午後は一緒にテレビを観たり、本を読んだりと、のんびり時間を過ごした。

「おばあちゃん、テクちゃんのこともっと早く知りたかった。そしたら、ずーっとこうして一緒にいられたのにねえ」

「ずっと、一緒だよ」

次の日も、また次の日も、テクとおばあちゃんは同じ時間を過ごし、二人は色々な会話をした。

「ねえテクちゃん」

「なに？」

「おばあちゃん、実は玖美の将来をとても心配しているんだよ」

「心配？」

「そう。玖美はもう二十七だろう？　お付き合いしている人はいないのかねえ？」

「過去にはいたみたいだよ。今は、いないって」

テクは玖美が過去に付き合っていた男性に会ったことはない。いや、会いたくなかった、と言った方が正しいかもしれないが。

「そうかい。玖美には言わないけれど、おばあちゃん本当は玖美には早く結婚して、子供を産んで欲しいと思っているんだよ」

「玖美は立派に看護師として働いているよ」

「勿論《もちろん》。でもやっぱり女の幸せは、結婚して子供を産んで、明るい家庭を築くことだと、おばあちゃんはそう思うんだ」

テクはその光景を想像すると少し寂しい想いを抱いたが、

「確かに、そうかもしれないね」

と言った。

「テクちゃん、おばあちゃんが元気なうちに言っておく。おばあちゃんが死んだ後も、玖美を頼んだよ」

また、あるときはこんなことも言われた。

「きっと玖美のことだから、いつもテクちゃんの力を頼っているんだろう」

おばあちゃんが何を言わんとしているのか、テクはすぐに理解した。

「しつこいようだけどねテクちゃん、むやみやたらに人の運命を変えてはいけないと、おばあちゃんは思うんだ」

テクは未《いま》だその本当の意味は分からない。

もっともテクはあと二時間分しか人間に時間を与えることができないが、

「うん」

素直に返事した。

「勿論玖美は、よかれと思ってテクちゃんの力を頼っているんだろうけどね」

それから一ヶ月が経ち、玖美が休みの日は三人でトランプをしたり、ベランダに花を植えたり、似顔絵を描き合ったりして遊び、玖美が仕事の時は、おばあちゃんの家事を手伝ったり、お使いに出掛けたり、一緒にご飯を作ったりして過ごした。

同じ毎日の繰り返しだが、テクにとってはそんな日々が幸せで、こんな平和な時間が一生続けばいいのに、と思う。

でも、それが叶《かな》わないことは知っている。

大切なおばあちゃんを失いたくないと、心から思う。

おばあちゃんの頭上に見える秒数が一秒、また一秒と減っていくのを見る度、テクは悲しい気持ちになる。

これまで人間の死に対して冷静であったテクだが、大輔の時と同様、現実を受け入れたくないと思う。

しかし、やはり確実に死は迫っている。だから一秒一秒、今を大切に過ごそうと思う。

テクの今一番の願いは、少しでも長い時間、にこやかで元気なおばあちゃんでいてほしい、ということである。

しかし、思っていたほど幸せな日々は長くは続いてくれなかった。

二ヶ月後にはおばあちゃんの容態が段々と悪くなり、入退院を繰り返すようになったのだ。

体力は衰え、痛みを訴える姿を、テクは見ていられなかった。それでも一生懸命悔いの残らないよう、玖美と一緒に介護に努めた。

テクが初めて後悔の念を抱いたのは、おばあちゃんの闘病生活が始まってから更に三ヶ月が経ち、おばあちゃんの寿命が残り三ヶ月と迫った頃だった。

その日テクは、隣町の総合病院に入院するおばあちゃんのお見舞いに一人で訪れたのだが、おばあちゃんがふと、力無くこう言ったのだ。

「もう、四月になったねえ。あれから、五ヶ月が過ぎたんじゃないのかい？」

テクは、隠すことはしなかった。

「過ぎたよ」

「本当なら、おばあちゃんはとっくに死んでいたねえ」

「うん」

「テクちゃんが、おばあちゃんに時間を与えてくれたんだねえ」

「そうだよ」

テクは声を震わせながら言った。

それを知ったおばあちゃんは前のようにテクを諭すことはせず、そうかいそうかいと優しい笑みで頷《うなず》き、窓から見える空を眺めながら言った。

「テクちゃんからもらった時間を、大切にしないとねえ」

テクはこの時初めて、玖美のお願いとはいえ、多くの人間にむやみやたらに時間を与えなければよかったと、後悔した。

「テクちゃん」

今の会話だけでも相当疲れたらしく、最後は囁《ささや》くような声だった。

「なに？」

おばあちゃんはテクの右手を握りながら言った。

「本当に、色々とありがとうねえ」

その日を境におばあちゃんの容態は更に悪化していった。

身体は嘘みたいに痩《や》せ細り、やがて、喋《しゃべ》る力もなくなっていったのだ。

そして、七月八日の朝、とうとうその時がきてしまった……。


午前十一時を少し回った頃だった。

おばあちゃんの血圧が急激に低下し、医者と二人の看護師が急いで病室にやってきた。

医者たちとは対照的に、テクと玖美は昏睡《こんすい》しているおばあちゃんを静かに見守っている。

テクの瞳《ひとみ》には、『879』という数字が見えており、一秒、また一秒と別れが近づいている。

おばあちゃんがこうして昏睡状態となったのは、三日前だった。

五日くらい前からおばあちゃんはもうほとんど意識がなくて、ただ痛みに苦しんでいる状態だった。その姿を見かねた医師が、玖美を呼び出した。

病室に帰ってきた時玖美は泣いていて、その後、医師がおばあちゃんに薬を投与した。

テクがどんな薬かと尋ねると、玖美はただ、『鎮痛剤』と答えるだけだった。

薬はすぐに効いたが、おばあちゃんはそれ以来ずっとこの状態だ。それでもテクは、楽になれたのならそれでよかったと思っている。

ただ、おばあちゃんの命は残り十分で消えようとしているが、一瞬だけ、喋らなくてもいいからほんの一瞬だけ、目を開けてほしいと思う。

テクはおばあちゃんの目を見て、『ありがとう』と言いたい。おばあちゃんの寿命は見えているが、こんなにも早く意識を失うとは思ってもいなかったのだ。だから、せめて一瞬でも……。

しかしテクの願いは叶わなかった。

おばあちゃんの呼吸が段々と弱くなり、頭上に浮かぶ数字が『0』になってしまったのだ。

医者がおばあちゃんの瞳に光を当て、死亡を確認した。

玖美は泣きながらおばあちゃんを抱きしめ、

「ありがとう」

と言った。

テクもおばあちゃんの手を握り、

「ありがとう、おばあちゃん」

と言った。

テクはおばあちゃんと過ごした日々を思い返し、最後に聞いた言葉を思い出す。

確か最後は、『また明日ね』、だった……。

少しだけ気持ちが落ち着いた頃、玖美がおばあちゃんを見つめながら言った。

「テクちゃん、ありがとう。おばあちゃん、テクちゃんにはああ言っていたけど、少しでも長く私たちといられたこと、喜んでいたと思う」

「うん」

「おばあちゃんは、本当に強い人だったと思う。早くにおじいちゃんを亡くして、私のお母さんも失って、それ以来ずっと一人で私を育ててくれて」

「それでも玖美がいたから、おばあちゃんは幸せだったと思う」

「ありがとう」

「おばあちゃん、前にこんなことを言ったよ」

「え？」

「玖美には早く結婚して子供を産んで欲しいって。それが女の幸せだからって」

「おばあちゃん、そんなこと」

「うん」

玖美は困った仕草を見せると、

「私は、幸せな家庭築けるかなあ」

テクは玖美の残り時間をちらりと見て、言った。

「俺には玖美の将来までは見えないけれど、きっと誰かと結婚して、子供をたくさん産んで、おばあちゃんみたいな、いつも優しくてにこやかなおばあちゃんになって、今度は孫ができて、最期はその子供と孫たちに看取《みと》られて死んでゆく、そんな人生だと思う」

玖美の残り時間は告げなかったが、テクの言葉を聞いた玖美は少し安心した表情を見せ、ただ一言、

「ありがとう」

と言った。

同じ頃、直弥はランドマークタワー内にある本屋におり、漫画本を立ち読みしていた。

五十年ぶりに再会した『母親』と再び暮らし始めてからもう十七年以上が経つが、直弥は相変わらずランドセルを背負って学校に行くフリをする日々が続いている。

しかし今日はランドセルを背負っていない。家を出るときはランドセルを背負っていたが、今日は日曜日であるが故、庭にランドセルを隠して桜木町まで歩いてやってきた。

直弥は余裕綽々《よゆうしやくしやく》といった感じで漫画を読んでいるが、実は内心ハラハラしている。

母親は今年で九十三になり、昔に比べると体力は衰え足も悪くなっているが、九十

三とは思えぬほどまだまだ元気で、直弥は毎日のように叱られているからだ。

直弥の頭の片隅には、もしかしたらランドセルを隠したことがバレるのではないかという危機感があるのだ。

だがこうして安心して桜木町まで来られるのは、母親が元気で、まだ七年も生きられることを知っているからだ。

母親がいなくなることを想像するととても悲しい気持ちになるが、百まで生きられるのなら、有り難いと思っている。

直弥は親孝行らしい親孝行はできないが、残りの七年間を、大事に過ごそうと毎日自分に言い聞かせている……。

直弥は今お気に入りの漫画本を一冊読み終え、次の巻に手を伸ばす。が、思いとどまり本屋を出た。そしてエスカレーターで一階まで降り、ランドマークタワーを後にした。

向かったのは『時計台』である。

毎週土日、漫画本を一冊読み終えた後、午後二時半くらいまで時計台でテクと心美を待つ。二時半くらいに桜木町を出なければ帰るのが遅くなって母親が心配するからだ。

本当は、一週間毎日時計台の下で二人を待ちたいが、平日の昼間だと警察に怪しまれる。実際過去に何度か、学校はどうしたの？　と尋ねられたことがあり、その度に補導の危機を免れてきた。

直弥は毎週時計台に来る度、今日こそはと期待を抱く。

特に、テクに会いたいと思っている。

桜木町のマンションに住んでいる心美とは十六年間で数え切れないほど会っており、つい一ヶ月前にも再会した。しかしテクには、十六年前に会って以来会えていない。

直弥は時計台の下にちょこんと座り、ポケットの中から最新式のポータブルゲーム機を取りだした。母親にねだって買って貰《もら》ったのだ。

ゲームをやりながら、合間合間にテクの姿を目で探す。

子供はいるのだが、違うと分かる度落胆の色を浮かべ溜息《ためいき》を吐く。

結局、この日もテクと会えないまま二時半を迎えた。

直弥は後ろ髪を引かれる思いであったが、ゲーム機の電源を落とし、時計台を後にする。

テクちゃんは今、どこにいるんだろう……？

直弥は最近思う。

あれから玖美と別れることになって、また新たに特別な人間を見つけ、その人間に全ての時間を与え、消えてしまったのではないかと……。

残念そうにトボトボと家に帰る直弥とは対照的に、心美は上機嫌であった。

午前中に掃除や洗濯、全ての家事を終わらせた心美は、昼食を済ませるとすぐに今晩の食事の準備に取りかかり、今もその途中である。

普段は朝七時に起床し、宮田と一緒に朝食を食べ、その後洗濯をし、昼食、掃除、そして最後、午後五時頃から夕飯の準備を開始するのだが、この日は特別であった。

今日七月八日は、宮田孝一の五十六歳の誕生日である。

普段の日曜日は宮田は家におり、読書をしたり、音楽を聴いたりしてゆっくり過ごすのだが、今日は昼食を終えると心美が家から追い出した。

宮田は何度も理由を聞きたそうにしていたが、じゃあちょっと出てくる、と言って素直に家を出て行った。内心では、心美が驚かせようとしているのを知っているからだ。

キッチンで自家製ケーキのスポンジに生クリームを塗る心美はふと、フフフと笑った。

彼は今どこで何をしているんだろうと考えると、思わず笑みがこぼれてしまったのだ。

ケーキを作り終えると、次にバーニャカウダソースを作り、皿の上に様々な野菜を飾り付けた。その後、トマトとガーリックを使ったブルスケッタや、鯛《たい》のカルパッチョ、ペペロンチーノ、魚介のパエリヤを作り、次々とダイニングテーブルに並べていった。

見栄えはとても豪華になったが、ちょっと作りすぎたかな、と心美は苦笑する。

「まあいっか」

次に、予《あらかじ》め用意しておいたキャンドルや折り紙で部屋の飾り付けをし、最後に、この日の為に用意したドレスに着替え、宮田が帰ってくるのをうきうきしながら待った。

宮田は約束通り六時ちょうどに家に戻ってきた。

心美が真っ赤なドレスで迎えると、宮田はわっと目を見開き、

「どうしたんだ、随分とおめかしして」

白々しく言った。

心美は女の子らしく可愛く微笑むと、

「おかえり、さあきてきて」

宮田をリビングダイニングまで引っ張った。

飾り付けされた部屋や、ダイニングテーブルに並べられた料理を見た宮田は、今度は本当に驚いた表情を見せた。

「今年は随分と豪華だな。これ全部心美が作ったのかい？」

その言葉に心美は頬をぷっくりと膨らませ、

「毎年豪華です」

と言った。

宮田は苦笑し、

「ごめんごめん」

心美に謝ると、

「座って、いいのかな」

遠慮がちに言った。

「どうぞどうぞ、今日の主役ですから」

少し不機嫌そうに言うと、宮田は恐る恐る席に着いたのだった。

心美はクスクスと笑いながらキッチンに向かうと、冷蔵庫からシャンパンとペリエを取りだした。

心美は無論、アルコールを飲んでも全く酔うことはないが、宮田がアルコールを許してくれないのでいつもジュースかペリエなのだ。

シャンパンとペリエを用意した心美は、綺麗《きれい》に整理された食器棚からグラスを二つ用意し、宮田の向かいに腰掛けた。

心美はまず自分が飲む用のペリエの蓋《ふた》を開け、次にシャンパンの蓋に手をかけた。

しかし、心美の力ではなかなかシャンパンの蓋が開けられず、

「どれどれ、私がやろう」

宮田が手を差し出した。心美は少しむっとしてボトルを渡す。すると宮田はいとも簡単に蓋を開け、ボトルを心美に手渡した。

「先生の誕生日なのに」

心美は聞こえぬように不満を漏らし、宮田のグラスにシャンパンを注いだ。

「ありがとう心美」

今度は宮田が心美のグラスにペリエを注ぎ、

「じゃあ乾杯しようか」

と言った。

心美は、自分にもできないことはあるよね、と納得させて、

「うん」

と頷《うなず》いた。

心美はグラスを持ち、

「先生、五十六歳の誕生日おめでとう！」

宮田は上を向いて、

「あれ？　五十六歳かな？　もっと若かったような気がするが」

と惚《とぼ》けた。

「何言ってんの。もう五十六です。それより早く乾杯」

宮田は参ったというような表情を浮かべ、

「乾杯」

と言った。

宮田がシャンパンを一口飲み、グラスをテーブルに置いたところで、心美は椅子の下に隠しておいたプレゼントを手に取り、宮田に差し出した。

「はい先生、プレゼント」

「今年も用意してくれたんだ、ありがとう。開けてもいいかい？」

「うん」

宮田は丁寧に包み紙を解き、箱の中から二つ折りの財布を手に取った。

「財布か。ちょうど今使ってるのが古くなってきたから、欲しかったんだよ」

「でしょ？　そう思ったから今年は財布にしたの」

「でもこれ、高かっただろう？」

心美は炊事洗濯掃除だけでなく、お金の管理も任されている。

宮田の給料は毎月百五十万。そこから税金や保険やマンションのローン等を差し引くと、大体八十万が手元に残り、心美は毎月五十万円貯金すると決めている。

この財布が十万近くしたので、今月は貯金額を減らそうかと思ったが、やはり妥協は許さなかった。

この先何が起こるか分からないのだ。先生のために、しっかりお金を貯めておかなければならないと、心美は常日頃から思っている。

「先生医者なんだから少しくらい、いい物持たないとダメよ」

心美が宮田の一番好きなところは、地位やお金があっても見栄を張ったり、偉ぶったりしないところだ。

「そうかい？　どうもありがとう」

「さあ先生、料理食べてみて」

「ああ、いただきます」

宮田はまずバーニャカウダに手を伸ばし、一口食べると感動の声を上げた。

「美味《おい》しい、お店で食べているみたいだ」

「でしょ、さあどんどん食べて」

心美は取り皿に料理を装《よそ》い、次々と宮田に食べさせた。

宮田は一通り食べると、

「どれも美味しい、本当に心美はプロ並みの腕を持っているな」

と感心した。

「昔は文句ばっかりだったけどね」

「嘘だ、文句なんて一言も言ってないさ」

そう、確かに宮田は文句など言ったことはない。どんなに美味しくなくても、美味しいと優しく言ってくれていた。

「しかし、時間が経つのは本当に早いなあ」

宮田が急に沁々《しみじみ》と言った。

「一緒に住むようになってからもう十七年が経つんだもんなあ」

「うん」

「懐かしいなあ。昔は何もできなくて、色々教えるのが大変だったよ」

宮田が冗談交じりに言うと、心美は目を細めて睨《にら》んだ。

「ごめんごめん。でも、本当に心美は毎日よくやってくれている。ありがとう」

「な、何よ急に」

「心美が家のことを完璧《かんぺき》にやってくれるおかげで、私は余計なことを考えず、毎日仕事に取り組めるんだ」

心美は少し照れながら、

「そう？」

と聞いた。

「そうさ。毎日ありがとう。心美は本当に、いい子だよ」

上機嫌だった心美だが、宮田の最後の言葉で急に不機嫌になった。

宮田には自覚があり、すかさず、

「あ、ごめん」

と言った。

心美が突然不機嫌になったのは、宮田が心美を子供扱いしたからであった。

心美は昔から宮田に対し、子供扱いしないでほしいと言っている。しかし宮田は無意識のうちに心美を子供扱いしているのだ。

それはやはり、心美が子供の姿をしているからであった。

私の方が、十年以上長く生きているのに、と心美は思う。

心美はもう何年も前から、子供の姿のまま一切成長しない自分の身体が憎い。

もし成長していたら、宮田は一人の女性として見てくれていたであろうか……。

心美は宮田のことを先生と呼んでいるが、本当は、『貴方《あなた》』、と呼んでみたい。

出掛けるときも人の目を気にせず、恋人や夫婦みたいに手を繋《つな》いで歩きたい。

宮田は人間扱いしてくれているが、心美はやはり人間ではないと自覚している。それ故に、人間でない自分がこうして宮田と一緒にいられるのだから、それだけでも幸せなのだ。

それは分かっている。分かってはいるが……。

「心美、ごめん」

心美はううんと首を振り、

「大丈夫。もう一度改めて乾杯しよ」

笑顔で言ったが、心は泣いていた。

心美は思う。

身体が成長しないのであれば、せめて大人の姿がよかったと。

大人の姿だったらこの十七年間は、全く違う十七年だったに違いないから……。


おばあちゃんが死んでから五ヶ月が経ち、今も尚玖美と一緒に暮らしているテクはこの日、玖美から貰《もら》ったお金でバスに乗り、午後六時前に『千葉国立病院』に到着した。

普段玖美が仕事の時は、前とは違って外食はせず、テクが家で簡単な食事を用意して二人で食べるのだが、今日は外食する約束をしているが故、こうして千葉市まで出てきたのだ。

しかしテクはいつもとは違い落ち着かない。こんな緊張感は初めてだった。

なぜなら食事は二人で、ではないからだ。

現在玖美は交際している男性がおり、その男性も交えて食事することになっている。

玖美に彼氏ができたのは三ヶ月前。どうやら友人の紹介で知り合い、交際に発展したようだ。

テクはその男性が三十一歳で、千葉市に住んでおり、千葉市の製薬会社に勤めていることくらいしか知らない。

それ以上知るつもりはなかったし、会うつもりもなかった。

しかし玖美が、どうしても会ってほしいと言うのだ。

玖美は過去に二度男性と交際しているが、会ってほしいと言われたのは初めてであった。

テクはこの頃、自分たち二人の環境が変わろうとしているのを感じている。

玖美は口には出さないが、その男性との結婚を意識しているのではないかと、テクは思うのだ。

「テクちゃん！」

テクは玖美の声で我に返った。

「やあ」

「お待たせ」

玖美はいつもの布製のバッグではなくブランドのバッグを提げており、洋服もいつも着ているダウンジャケットではなく、ロングコートを羽織っている。

「お洒落《しゃれ》しちゃってさ」

テクは玖美に聞こえない声で呟《つぶや》いた。

「今日は随分と冷えるね」

玖美が身を縮めながら言った。しかしテクは寒さを感じず、

「そう」

と返した。

「テクちゃん、今日は来てくれてありがとう。彼、もうお店で待っているみたいだから、行こうか」

待ち合わせ場所は、『ハンバーグステーキ・エルドラド』だ。

テクは何だか面白くなかった。エルドラドはお気に入りの店であり、玖美との想い出の場所だと思っているからだ。

心の中で玖美に文句を言いながらテクは後を付いていく。

やがて店に到着し、玖美がカウベルのついた扉を開けた。

「いらっしゃいませ」

若い男性の店員がやってきた。見る限り、前によく案内してくれていた若い女性はいなかった。

「待ち合わせしているんですけど」

玖美は言いながら店内を見渡し、店の一番奥のテーブルに座っている、スーツ姿の男性に手を振った。

「行こうテクちゃん」

テクは黙ったまま付いていき、男性の前に立つ。

すると男性は、テクが子供の姿であるにもかかわらず、立って挨拶《あいさつ》してきた。

「こんにちは、テクちゃん」

まさか丁寧に挨拶されるとは思ってもいなかったテクは恐縮したように、

「ど、どうも」

男性を見上げて挨拶したのだった。

玖美が立ったままテクに紹介した。

「木村賢《きむらけん》さん。前も言ったように、千葉市の製薬会社に勤めているの」

木村は百八十以上ある長身で、身体の線は細く、顔立ちは決して整っているとは言えないが、一目で人が良さそうなのが分かる。

それにしても、玖美はなぜか妙に緊張している。玖美からしてみたら、父親に彼を紹介する心境なのだろうか、とテクは思った。

「とりあえず、座ろうか」

木村が言った。

「そ、そうね」

テクと玖美が向かいに座ると、木村がメニューを差し出した。

「僕はもう決めたよ。二人はどうする？」

テクと玖美はいつも頼んでいた、特製ハンバーグステーキを頼むことにした。

店員に注文し、店員がその場を去ると、木村がテクを見て言った。

「ずっと会いたかったんだ、テクちゃんに」

別に俺は会いたくなかったけど、とテクは心の中で言った。

「でも、こんな時間に迷惑だったかな」

「ちょっとね」

テクが真顔で言うと、木村の顔が一瞬引きつった。

すかさず玖美が、

「ちょっとテクちゃん」

と慌てて注意し、

「ごめんなさい、この子、冗談ばかり言うのよ」

と、取り繕った。木村はハハハと笑い、

「面白い子だね」

と言った。

「そ、そうなの。全く困っちゃうわ」

「その場が明るくなっていいじゃないか」

玖美は笑って誤魔化すので精一杯だった。

「ところで、今二人で住んでいるんだよね？」

「そうなの。テクちゃんは、両親を事故で亡くしてしまって、一年前から、一緒に住んでいるの」

テクは、玖美の母親の妹の子供という設定で事前に打ち合わせしていたのだ。

「そう、こんな幼いのに、気の毒だね」

幼いなんて、アンタに言われたくないね、とテクはまた心の中で言った。

「玖美お姉さんは優しい？」

テクは木村を一瞥《いちべつ》し、

「別に」

と答えた。

木村は困った表情を浮かべ、

「何だか、僕嫌われているみたいだね」

「ううん、そんなことないの。この子、ちょっと人見知りで」

玖美がフォローすると、木村は心底安堵《あんど》した表情を見せ、

「それならよかった。じゃあもう少しすれば、仲良くなれるかな」

と期待を込めて言った。

誰が、とテクは思うが、

「ええ、すぐに仲良くなれるわよ」

玖美が言った。

それからしばらくして三人の元にハンバーグステーキが運ばれ、テクはいただきますも言わずに黙々と食べる。二人が楽しそうに会話しているのが気に食わなかった。

「それより、賢さんちょっと疲れていない？」

「え？　そうかい？」

テクはそっと木村の顔を見た。

そう言われてみれば、確かに顔に疲れが出ている。

それに今気づいたのだが、三十一の割には少々白髪があり、疲れた顔と合わせて見

ると、不思議と急に年取ったように見えた。

「仕事忙しいんじゃない？」

「確かに最近忙しいけど、そんなに疲れてはいないよ」

「そう。あまり無理をしたら……」

急に玖美が言葉を詰まらせ、

「どうしたの？」

木村が心配そうに尋ねる。じっと木村を見つめていた玖美はハッと我に返り、

「ううん、あまり無理をしたらダメよ」

と言った。

テクはそっと玖美の横顔を見る。木村に笑顔を見せてはいるが、木村の視線が離れた瞬間、不安そうな表情を浮かべたのをテクは見逃さなかった。

「ところで玖美ちゃん、テクちゃん」

二人は同時に木村を見た。

「今度三人がお休みの時、どこかへ遊びに行かないか？」

突然そう言われたテクは返答に困る。そんなテクを見ながら玖美が言った。

「そうねえ、遊びに連れて行ってもらおうかテクちゃん」

「でも、俺がいたら邪魔だろう」

テクのその言葉に木村は笑った。

「大人みたいなこと言うんだねテクちゃんは。邪魔だなんてとんでもない。僕はテクちゃんと仲良くなりたいんだ」

「そんなことより木村さん」

テクが改まった様子で話しかけると、木村は背筋を伸ばし、

「どうしたんだい」

真剣な顔で言った。

テクは木村の目を真っ直ぐに見つめ、

「玖美と、結婚する気はありますか」

と聞いた。すかさず玖美が、

「ちょっとテクちゃん」

テクの袖《そで》を引っ張るが、テクは木村の目から視線をそらさず返答を待った。

木村は最初戸惑った様子を見せたが、玖美と目を合わせるとハハハと笑い、

「テクちゃんは、玖美ちゃんのお父さんみたいだねえ」

と誤魔化した。

「それで、どうなんですか」

もう一度聞くと木村は顔を赤らめ、

「勘弁してくれよテクちゃん。ここで言うのは恥ずかしいじゃないか」

と言い、結局最後まで答えることはなかった。


食事を終え店を出た三人は真っ直ぐバス停に向かった。

木村はバスではなく電車だが、二人を心配してバス停まで見送りに来たのだ。

やがてバスがやってきて、テクと玖美は木村と別れた。

玖美はバスが発車するまで木村に手を振っており、バスが走り出すとテクに身体を向け、

「木村さん、どうだった？　とてもいい人でしょう？」

テクは答えなかった。

「あ、それよりテクちゃん、いきなりあんなこと木村さんに聞かないでよ。木村さんも困ってたじゃない」

テクは前を向いたまま、

「玖美はどうなんだ？　あの人と、結婚するつもり？」

初めて聞いた。

玖美は照れながらも、うんと頷《うなず》いた。

「まだ付き合って三ヶ月だけど、何となく分かるの。この人と結婚するんじゃないかって。だから、テクちゃんと会ってほしかったの」

テクはこの時とても寂しい想いを抱いたが、玖美の幸せを考えると、嬉《うれ》しいことなのかもしれないと、その想いを打ち消した。

「もっとも、木村さんがどう思っているのか分からないけど」

「あの人も、玖美と結婚するつもりだよ」

「まだ、分からないよ」

「いや分かるよ。そんな感じだったから」

「そうだとしたら嬉しい。でも……」

急に玖美の表情が曇り、

「心配なことが、一つだけある」

と言った。

「分かるよ。あの時、彼の寿命が心配になったんだろう？」

玖美は俯《うつむ》き、頷いた。

「あの瞬間なぜか、大輔くんのことが頭に浮かんで……」

「大丈夫。心配することはないよ」

「本当に？」

テクは木村と会った時、すぐに木村の寿命を計算していた。

木村はあと、五十二年間生きられる運命であった。

「大丈夫。彼は長生きするから」

その言葉に玖美は心底安堵した様子を見せ、テクにお礼を言った後、夜空を眺めた。テクは何も聞かなかったが、玖美はこの時恐らく、心の中でおばあちゃんと会話していたのだと思う。


それから一週間後の十二月二十三日、午後六時三十分。

東京都港区青山にある僅《わず》か十平米の小部屋に、『黒い蛇』のネックレスをした少年が現れた。

部屋には、カメラを搭載したパソコンと小さなイス、それに、ベッドが置いてあるだけである。

黒いネックレスの少年は現在ここに住んでいる。十年以上前にある信者に借りさせ、家賃もその信者が払っている。

少年は部屋の灯《あか》りもつけず、パソコンの前に腰掛けた。そして、カーテンのかかっていない窓から夜空を眺めた。

澄み切った夜空に、今にも消えてなくなりそうな三日月が浮かんでいる。

少年は寂しい三日月を眺めながら、

「相応《ふさわ》しい夜だ」

抑揚のない声で言った。そして目の前にあるパソコンを起動した。

同時に、少年の顔が光に照らされる。

少年はネットに接続し、普段は『寿命の相談所』として使っている部屋に飛んだ。

部屋にはすでに、八万九千七百七十五人もの信者が集まっている。

少年は、まだまだこれでは信者の数が少ないという想いだが、これだけの数の信者が同時にアクセスしているのは初めてであり、皆画面の前で、少年がこれから告げる『生命に関わる重大な報せ《しら》』を、ビクビクしながら待っているに違いない。

しかし少年はまだカメラは起動しない。

午後七時ちょうどに、皆の前に姿を現すつもりだ。

少年はこれから、十六年前に企てた計画を実行する。

最初に目標とした信者の数がとうとう十万人を越えたからである。

少年はこの十六年間、信者を増やすことだけに時間を費やしてきた。

どれもが臆病《おくびょう》で信心深く、異常なまでに『死』を恐れているまことに下らない人間たちである……。

あの日から少年は東京、神奈川を中心に様々な病院を回り、寿命の少ない人間を探した。死に近い人間を見つけるには病院が一番手っ取り早いと考えたからだ。

そして寿命が短い人間を見つけては、医者や看護師、そして患者の前でその人間が死ぬ明確な月日と時間を『予言』していったのだ。

人間を信用させるには、それだけで十分だった。

人間たちは少年の予知能力を恐れ、やがて崇拝するようになり、少年は同じやり方で次々と信者を増やしていった。

東京、神奈川で信者を得た少年は、次にネットを用いることを考えた。

信者にこの部屋を借りさせた少年は、『寿命の相談所』という名のホームページを開設し、信者たちに自分の噂を広めさせた。

噂は忽《たちま》ち広まり、全国から多くの人間が『相談所』に集まった。そして少年はカメラ越しに相談者の寿命を『予言』し、全国に信者の数を増やしていったのだ。

十万の信者たちは今、少年のことを『守り神』、或《あるい》は『メシア』と称《たた》えている。

それは、寿命を予言できるだけでなく、何年経っても少年が昔のままの姿だからだ。

それ故信者たちは、少年を『人間』ではなく、『神』だと信じているのだ。

少年は今狭い部屋に一人だが、少年には多くの信者たちの、自分を呼ぶ声が聞こえてくる。

長かった、と少年は思う。

しかし長い年月をかけたからこそ、成功したときの快楽は大きいのだ。

午後七時、少年はカメラを起動した。『相談所』には十万に近い信者が集まっている。

暗い中少年は、カメラに向かって口を開いた。

「今日集まってもらったのは他でもない。皆には生命に関わる重大な報せがある」

信者たちの緊張が、ひしひしと伝わってくる。

少年はじらすように長い間を置き、

「皆の運命が変わった」

いきなり言った。

「いや皆だけではない。日本国民全ての運命が変わったのだ」

信者たちが怪訝《けげん》な表情を浮かべながら画面を見ている姿が、少年の頭に浮かぶ。

少年は、またも長い間を置いてこう言った。

「日本国民全員が、明日二十四日、午後六時に死ぬ」

画面の向こうからざわめきが聞こえてきそうであった。

「なぜなら国民全員には『悪魔』が取り憑《つ》いており、その『悪魔』に殺されるのだ」

少年は目一杯脅すように言うと、フフフと不敵に微笑み、

「しかし慌てることはない。恐れることはない。ここにいる皆だけは助かる」

と言った。

「しかし残念ながら私の力ではどうすることもできない。皆が自分の力で『悪魔』を消し払わなければならないのだ」

少年には、皆の命乞《いのちご》いする声が聞こえてくる。少年は上唇をつり上げ、こう言った。

『悪魔』を消し払うには、今自分が憎いと思っている人間を一人殺すことだ。皆に憑いている『悪魔』とは、それぞれが心の中で抱いている、憎い人間なのだ」

十万の信者が激しく動揺している姿が目に浮かぶ。しかし最後は考えさせる間を与えず、

「死にたくなければ明日の六時までに『悪魔』を殺すことだ」

と告げて、少年は回線ごと切断した。

部屋が暗くなると同時に、少年の不気味な笑い声が響いた。

今ごろ信者は明日に迫った死に怯《おび》えているだろう。人間を殺すことに動揺しているだろう。

そうだもっと恐れろ。そして、憎い人間を殺すことを選択するのだ。

少年は、多くの信者たちが殺人を実行すると確信している。

それは少年を信用しきっているのもそうだが、信者たちのほとんどが死を恐れる心

の弱い人間だからである。

自分が助かるためなら、人一人くらい平気で殺すだろう。

「明日だ。いよいよ」

少年は興奮に満ちた声で言った。

明日がクリスマスイブだということは無論知っている。

クリスマスイブの最中、日本中がパニックに陥るだろう。

少年は明日、一斉に殺人事件が起こる光景を想像し、また笑った……。


クリスマスイブの朝、テクと玖美は普段よりも早くに起床し、朝食を食べるとすぐに出掛ける準備を始めた。

この日、偶然にも玖美と木村の休みが重なり、本当は二人でデートに行く予定だったようだが、三日前、『三人』で遊びに行こうと木村が誘ってきたのだ。

テクは最初断ったが、二人がどうしてもとしつこく誘ってくるので渋々了承したのである。

いや、玖美には言わないが正直今も乗り気ではなく、迷っている。そんなテクの様子に全く気づかない玖美は、いつになくウキウキしながら身支度している。

それから一時間後、玖美の携帯に木村から電話がかかってきた。

「何だって？」

「あと五分くらいしたら着くって」

「そう」

「楽しみだねテクちゃん」

テクは頷《うなず》いたものの、迷ったような返事であり、

「どうしたの？」

テクはしばらく考えた末、

「やっぱり、俺行かない」

と言った。

「え？　どうして？」

「急に気が変わった。二人で行っておいでよ」

「何よそんな子供みたいなこと」

玖美は、伏し目がちのテクの顔を覗《のぞ》きながら、

「もしかして私たちに気を遣ってるの？　だったら」

「別に、そうじゃないよ」

「じゃあ行こうよ。木村さんも凄《すご》く楽しみにしているんだから」

テクの気分を盛り上げようと、玖美は笑顔で明るく誘うが、それでもテクは首を振った。

「二人で行っておいで。俺のことは気にしなくていいからさ」

「でも……」

それから間もなくして、家の前に車が到着した。

「本当に行かないの？」

「うん」

「木村さんには何て言うのよ」

「冬休みの宿題をやるって言えばいいさ」

木村には、テクが今冬休みだと言ってあるのだった。

「木村さん、残念がるよ？　本当に行かない？」

「行かない」

「一人で家にいたら寂しいよお？」

「いいからいいから」

テクは玖美を玄関まで押し、

「ほら、行っておいで」

そこで玖美はようやく、

「分かった」

と言ってハイヒールを履いた。

「時間気にしなくていいから、楽しんでおいで」

玖美はまだ未練があるようであったが、

「分かった、じゃあ行ってくるね」

と言って家を出て行った。

テクは、これで良かったんだと自分に言い聞かせる。

だって今日は、クリスマスイブなんだから……。

しかしそれでもやはり玖美のことが気になって、気づかれぬように玄関扉を少し開けた。

玖美はすでに助手席に座っているが、木村はなかなか車を発進させない。とても残念そうな表情を浮かべていた。

木村の落ち込んだ姿を見ると、少し悪いことをしたかなと思うが、やはりこれでよかったんだとテクは自分に言い聞かせると、玄関扉を閉めた。

テクは二人が出掛けた後、家に置いてある漫画や小説を読んで時間を潰《つぶ》し、午後二時半頃、居間のテレビをつけた。

ちょうど、テクが好きな旅番組をやっていて興味深く観ていたのだが、三十分もしないうちに番組は終了し、そのままチャンネルを変えずぼんやりとテレビを観ていた。

するとニュース番組が始まり、キャスターが速報を伝えた。

『今日午後一時頃、北海道釧路《くしろ》市にある木造二階建てアパートの一階部分から出火があり、火は消し止められましたが、中から野本和夫《のもとかずお》さん五十六歳の遺体が見つかりました。警察は、事件と事故の両方の可能性があると見て捜査を進めています』

こんな日に気の毒だなと引き続きニュースを観ていると、それから十分後、今度は神奈川県の大和《やまと》市にあるアパートで火事があり、中から三十四歳の男性が遺体で発見されたと伝えられたのだ。

今日は何だか火事が多いなと観ていると、更に十分後、三度目の速報が伝えられた。

『今入ってきたニュースです。今日午後二時十五分頃、大阪府吹田《すいた》市の路上で、覆面をした男が二十六歳の女性を刃物で刺し逃亡。女性はすぐに病院に運ばれましたが、間もなく死亡が確認されました。目撃者によると犯人は……』

今度はその五分後だった。

『東京都青梅《おうめ》市の谷桜公園で、男性が大量に血を流しているのを近所の住人が発見し、男性は病院に運ばれましたが、間もなく死亡が確認されました。男性は鈍器のようなもので頭を何度も殴打されており……』

『お伝えします。福岡県久留米《くるめ》市に住む伊達幹生《だてみきお》さん六十三歳が軽自動車に撥《は》ねられ意識不明の重体です。目撃者によると、軽自動車は赤信号を無視して伊達さんを撥ね飛ばしたとのことであり、伊達さんを撥ねた軽自動車は今も逃走中であります』

『速報です！　群馬県前橋市のマンションから十七歳女性の他殺体が発見されました……』

最初テクは、クリスマスイブなのに今日は事件が多いな、くらいの気持ちであったが、あまりの数に段々薄気味悪さを感じた。

「一体どうなってるんだ」

事件事故がこうも続くとテクは妙に二人の身が心配になり、携帯電話を手に取った。

しかしすぐに自分が『使者』であることを思いだし、テクは自嘲《じちょう》気味に笑った。

「何心配してんだよ」

二人は今日死ぬ運命ではないのだ。何事もなく一日を終える。

安心した途端テクは、日本各地で発生した事件事故のことなどすっかり忘れ、バラエティー番組にチャンネルを切り替えたのだった。


それから約三時間が経ち、六時半を少し回った頃、家の前に停車した気配を感じ、テクは窓から外を見た。

暗いので車内の様子はよく見えないが、間違いなく木村の車であった。

やがて助手席が開いたのだが、玖美だけでなく木村も一緒に玄関にやってくる。

「随分早いな」

テクも玄関に向かい鍵《かぎ》を開けた。

「おかえり」

「ただいまテクちゃん」

テクは、玖美の後ろに立つ木村には視線を向けず、玖美だけを見て、

「随分と早かったね」

と言った。

「賢さんがテクちゃんを心配して、早く帰ろうってことになったの」

テクはようやく木村を一瞥《いちべつ》し、

「ああ、そう」

と素っ気なく返事した。

「一人で寂しくなかったかいテクちゃん。宿題は終わった？」

テクは面倒臭そうに、

「ええ、まあ」

と答えた。

「それはよかった。あ、そうだ、テクちゃんにお土産買ってきたんだ」

木村はそう言って、手に持っている箱をテクに渡した。

中を見ずともケーキであることは分かったが、

「開けてみて。きっと喜んで貰《もら》えるから」

嬉《うれ》しそうに木村がそう言うので、テクは仕方なく箱を開けた。

案の定中にはショートケーキが入っており、テクはリアクションに困った。

「ここのショートケーキとても美味《おい》しいんだ。後で食べてみて」

「ど、どうも」

「テクちゃん！」

すかさず玖美が注意した。

「ちゃんとありがとうございますって言って」

テクは心の中で玖美に文句を言いながらも、

「ありがとう、ございます」

言われた通り素直にお礼を言った。

「よかった喜んで貰えて」

別に喜んでいないけど、とテクは思う。

「なあテクちゃん」

「次こそ、三人で遊びに行きたいな。おじさん、前も言ったようにテクちゃんと仲良くなりたいんだよ」

「はい？」

テクは玫美を見上げた後、手に持っている箱を見つめながら、

「はい」

と返事した。

でもテクは次の約束も土壇場でキャンセルし、更に次の誘いも断った。

二人が仲良くしているところを見たくない、というのもあるが、これ以上木村を知る必要はないと考えているからである。

それは悪い意味ではない。木村は少々お節介なところと、空気が読めないところがあり、あれこれ言われる度テクは心の中で文句を言い、面倒臭い奴、と思うのだが、木村はいつも自分のことよりも他人のことを考えられる、とても思い遣《や》りのある人物で、特に玫美のことはいつも大事に考えてくれている。この先もきっと、玫美に対する想いや態度に変わりはないと思う。

テクはとても複雑な想いを抱いてはいるが、木村にならば玫美を任せてもいいと思っており、近い将来、その日がやってくるのではないか、と考えているのだった。

テクが思い描いた将来が現実になったのはそれから約九ヶ月後、玖美と木村が交際を始めてからちょうど一年が過ぎた頃だった。

夜八時、木村が運転する車が家に到着し、テクはいつものように玄関に向かった。

「おやすみなさい」

玖美の声が聞こえてきた。

「ああ、おやすみ」

テクは玄関の鍵を外し、扉を開けようと手をかけた。

その時、

「玖美ちゃん」

木村が玖美を呼んだ。緊張しているのか、その声は少し震えていた。

「なあに賢さん？」

テクは扉に耳をつけて木村の言葉を聞こうとするが、よく聞こえない。木村がもじもじとしているのだけは伝わってくる。

「どうしたの？」

玖美がもう一度聞くと、

「玖美さん！」

いつものように『ちゃん』ではなく『さん』で呼んだ瞬間、テクは何となく木村の考えていることが分かった。

「え、どうしたの」

「あの、その、僕の、両親に会ってくれないか」

「え？」

「結婚したいと思っている女性がいる、と伝えてある。会って、くれないかな」

玖美は少し間を置いて、

「ありがとう、嬉しい」

と言った。しかしその刹那《せつな》、

「でも」

迷いを見せたのである。

さすがのテクにも、玖美がなぜ迷っているのか分からなかった。

「でも？」

木村は聞き返したが、

「テクちゃんのことだね」

と言った。

その瞬間、テクの表情が止まった。

「うん」

すると木村はこう言ったのだ。

「心配ないよ」

「え？」

「一緒に住めばいいじゃないか」

「賢さん……」

「僕は全然構わないよ」

テクは扉から耳を離し、

「何、言ってるんだよ」

と心の中で木村に言った。

「本当に、そう思ってくれているの？」

玖美が聞くと木村は迷わず、

「勿論《もちろん》」

と明るい声で言ったのである。

この時テクは思った。

木村は、玖美に嫌われたくないからそう言ったのではなく、本心で言っている、と。

「馬鹿だよ。でも……ありがとう」

テクは、自分のことを考えてくれている二人にお礼を言った。

でも、俺は一緒に住むつもりはないよ。

木村のことだから、長い時間が経っても、玖美に子供ができても、決して態度を変えず、本当の家族として接してくれるだろう。

それでも一緒には住めない。

二人の時間を邪魔したくはないし、もっとも自分は人間ではないから……。

いつかこんな日が来ると分かっていたテクは、もうずっと前から決意していた。

もうしばらくは玖美と一緒に過ごして二人を見守るつもりだが、二人が結婚したら、玖美の元から離れよう、と。

それは昔みたいに遠くから見守るのではなく、『永遠の別れ』という意味である。

無論、長い年月を一緒に過ごした玖美と別れるのは辛《つら》い。

でも、木村のためにも、そして将来生まれて来るであろう子供のためにも、別れた方がいい。

いや二人だけではなく、玖美にとってもそうだ。

家庭を持ったら、人間ではない自分と別れ、『ごく普通の生活』に戻らなくてはならないと、テクはそう思うのである。

今巷《ちまた》では、子供から大人まで『モンスタークリエイト』が大流行している。ゲームソフトの話だ。

直弥が持っているポータブルゲーム機専用のソフトで、様々な特徴を持ったモンスターを倒して、その報酬で武器や防具を作り、また新たな強敵に挑んでいくという内容だ。

最大四人までの通信プレイが可能で、最近至る所で通信プレイをして楽しんでいる人々を目にする。

その度直弥は、羨《うらや》ましいなあと思うのであった……。

この日もそうだ。直弥は今、家の近くにあるゲームショップの店先におり、四人で通信プレイをして遊んでいる小学生たちを眺めている。

皆、自分とほぼ同じ背丈で、ランドセルを背負っていて、同じポータブルゲーム機で遊んでいる。

しかし直弥が皆と一つだけ違うのは、『モンスタークリエイト』を持っていないということであった。

お店の棚にはソフトがたくさん置いてあり、四千九百八十円で売られている。

直弥はポケットの中から小銭を手に取り数えてみる。

やはり何度数えても千百円しかなく、直弥は溜息《ためいき》を吐いた。

直弥が貰《もら》えるお小遣いは、月五百円。あと八ヶ月待たないと買えないというわけだ。

母の姿を頭に浮かべるが、だめだめと自分に強く言った。

母は、ゲームなんてやるなら勉強しなさい、と言うばかりで買ってくれないだろう。

このポータブルゲーム機を買ってもらうのだって、説得するのに相当苦労したのだ。

それに仮に買ってもらえるとしても、年金と少ない貯金で暮らしている母をこれ以上頼ってはいけないと思う。

やはりコツコツ貯めて買うのが一番である。

しかし貯まった頃には続編とか、新たな人気商品が出ているとかで、『モンスタークリエイト』の人気はなくなっているのであろう。

直弥はふと、昔の心美を思い出す。

昔の心美ならお店の人の目を盗んでソフトを持って行くだろう。

無論、直弥にはそんな度胸もないし、もっとも盗むつもりもない。

「どうせ僕には一緒にゲームをやれる友達がいないから、手に入れたってつまらないよね」

自分にそう言い聞かせ店を後にし、そろそろいい時間なので自宅に歩を進める。

「今日の夜ご飯は何だろうなあ」

ウキウキしながら帰宅する直弥であったが、その途中の出来事であった。

母からお遣いを頼まれた時、いつも利用するスーパーに差し掛かったのだが、着物姿の母が店から出てきたのだ。

「あ、お母さん！」

直弥は母に声をかけ走り出すが、すぐにその足が止まった。

母は着物には似つかわしくない布のバッグを提げているのだが、なぜか中年の男性店員に呼び止められ、手を摑《つか》まれたのである。

「お母さん」

直弥は再び走り出し、

「どうしたのお母さん」

と声をかけた。しかし母は振り向かず、弱い力で店員の手を振りほどこうとしている。

店員が直弥を振り向き、

「お母さん？」

不思議そうに言った。

人前では、明らかに年齢差がおかしいので『孫』という設定にしているが、直弥はそのことすら忘れてしまっていた。

「あ、いや、おばあちゃん」

「僕、このおばあちゃんのお孫さん？」

「はい、そうです。おばあちゃんが、どうかしたんですか？」

店員は言いづらそうに、

「いや、あのね、おばあちゃん、精算しないままお店から……」

直弥は自分の耳を疑った。

「そんな、何かの間違いじゃ……」

直弥は、未《いま》だ店員の手を振りほどこうとしている母に問うた。

「悪いこと、してないよね？」

しかし母には聞こえておらず、

「離してちょうだい。直弥が家でお腹空《す》かせて待っているんだから」

と言った。

「何言ってるの、僕はここにいるよ」

母の前に立ってそう言うとようやく母は直弥の存在に気づき、

「直弥」

安堵《あんど》した声で言った。

「一体、どうしたの」

「分からないよ。この店員さんが乱暴するんだよ」

店員はすかさず手を離し、

「いや、乱暴だなんて」

直弥は母が提げている布のバッグを一瞥《いちべつ》し、

「精算してないもの、あるの？」

恐る恐る聞いた。すると母はこう言った。

「何言ってるんだい直弥、さあ帰るよ、宿題あるんだろう？」

直弥と店員は顔を見合わす。

「とにかく、事務所までいいかな？」

店員は、母に言っても無駄だと思ったのだろう、直弥にそう言った。

直弥は、いつもとは違う様子の母を見つめながら、

「はい」

と返事した。

二人は店の二階にある事務所に連れて行かれ、直弥が、バッグの中身を改めた。

すると中から、饅頭《まんじゅう》や缶詰や調味料等の小物が八点程出てきたのである。

「これ、もしかして全部……？」

店員は気の毒そうに、

「そう」

と言った。

「本当にこれ、お店のものですか？」

信じられずに、もう一度聞いた。

「確かに、お店のものだよ」

直弥は多くの品を見つめながら、

「どうしてこんなこと……」

しかし母はそれには答えず、

「いつまでここにいるんだい直弥、早く帰るよ」

と言った。

「お母さん……」

直弥は何が何だか分からなくなり、

「すみません。どうしたらいいでしょうか」

と店員に聞いた。すると店員は、

「警察を呼ぼうと思うんだが」

と言ったのである。直弥は慌てて、

「お願いします、警察だけは、警察だけは」

必死に懇願した。

「でもね」

「バッグに入れてしまったものは全てお支払いしますから」

「いや、そういう問題じゃ」

「母に悪気はないんです！」

直弥が叫ぶと店員は少し仰《の》け反《ぞ》った。

「あの、どうかしていたんだと思います。今後絶対こんなことはしません。だから、お願いです、許してください」

直弥が深く頭を下げると、店員は直弥と、我関せずといったような態度の母を交互に見つめ、

「二度としないと約束ができるなら……」

と言ってくれたのである。

直弥は胸を撫《な》で下ろし、

「ありがとうございます」

と言って、バッグの中から財布を取り出した。

直弥に金額を伝えた店員は母の目線まで屈《かが》むと、

「おばあちゃん、もう絶対にお孫さんを困らせるようなことしちゃだめだよ」

と厳しい口調で言った。しかし母は謝るどころか店員をキッと睨《にら》み、

「この子は孫じゃないよ！　私の大事な息子！」

事務所に響くほどの大きな声で言ったのであった。


帰り道、直弥はショックでずっと無言のままであったが、やはりどうしても信じられず、

「お母さん、なんであんなことしたの？」

家に着く直前、母の背中に尋ねた。

すると母は前を向いたまま、

「今日は午前中に掃除して、洗濯して、午後から散歩に出掛けたんだ」

と答えたのである。

「散歩？」

昔とは違い、今は足が悪いのだ。本当に散歩したのだろうかと直弥は疑問に思った。

「そんなこと聞いてないよ。どうしてお店の品を精算もせずにバッグに入れたんだ

よ」

万引き、とは言いたくなくて、直弥はそう尋ねた。

しかし母は何も答えず、家に着くと玄関扉を開けた。

その時、直弥はあることに気づいた。

「お母さん、鍵《かぎ》かけないで家出たの？」

用心深い母が鍵をかけずに出掛けるなんて、有り得ないことだった。

「ダメじゃないか、泥棒が入ったらどうするの？」

しかし母には聞こえていないようで、

「さあ晩ご飯作ろうかね。直弥、アンタは宿題やりなさいよ」

と言ったのである。

直弥は茫然《ぼうぜん》と立ち尽くし、

「お母さん……」

悲痛な声を洩《も》らした。

口には出さなかったが、明らかに様子がおかしい母に対しある懸念を抱いており、その疑いがどんどん強くなっていく。

直弥は、ううん、と首を振り、

「違うよね。ずっと僕の知る、お母さんだよね？」

希望を込めてそう言ったのである。

しかし、直弥が抱いた悪い予感は現実のものとなっていった。

母は段々物忘れが酷《ひど》くなり、日に日にぼんやりとする時間も増えていった。

そうではない、一見普通っぽく見える時もあるのだが、直弥が話しかけてもそれに対しての受け答えはせず、昔の話をしたりするのである。

母はずっと元気でしっかりしていたから、直弥は信じられない想いであったが、現実を受け入れざるを得なかった。

母は、認知症に冒されてしまっているのだと思う。

いや、ある意味では最初から認知症だったのだ。だから、認知症が進んでいる、と言った方が正しいのかもしれない。

直弥は、縁側でぼんやりとする母や、聞いてもいない話を突然したりする母を見ていると、この先母はどうなってしまうのだろうと、とても不安である。

同時に直弥は恐れている。

最後は、僕のことすら分からなくなってしまうのではないかと。

もしかしたら、その日は近いのかもしれない、と直弥は思う。

なぜなら、母はとうとう言わなくなったのだ。

毎日うるさく言っていた、『学校へ行きなさい』、『宿題をやりなさい』、という言葉を……。

母親の認知症に悩む直弥とは対照的に、心美は毎日が幸せであった。

相変わらず同じ日々の繰り返しであるが、心美は宮田孝一と過ごす、人間らしい普通の暮らしがとても幸せで、いつまでもこんな時間が続けばいいと、毎日願っている。

この日も心美は、宮田の喜ぶ姿を思い浮かべながら晩ご飯の準備を始めた。

今日のメニューは、ハンバーグカレーとサラダだ。今朝宮田が家を出るとき、ハンバーグカレーが食べたいとリクエストされたのだ。

心美は挽肉《ひきにく》を捏《こ》ねながら、

「子供みたい」

と言って笑った。

ハンバーグの下ごしらえを終えた心美は、次にカレー作りに取りかかった。

今日はサラダを出すつもりだが、宮田にはたくさんの野菜を摂《と》ってもらいたいので、素揚げした野菜をカレーに入れようと思う。

いつも元気でいてほしいから、と心美は心の中で言った。

宮田の寿命はまだまだ先であるが、もう六十手前である。死には繋《つな》がらなくとも、病気には気をつけなくてはならない。

宮田は医者であるが、医者だからこそ油断する。心美は宮田が病気にかからないよう、毎日栄養面をしっかりと考えているのだ。

その甲斐《かい》あってか、宮田は風邪一つ引かず、毎日健康に過ごしてくれている。それが何よりも嬉《うれ》しいことであった。

心美は、宮田がお腹を空《す》かして帰ってくる姿を想像してカレーを作る。

しかしその時だった。

ふと心美の動作が止まり、その瞬間心美の表情から笑みが消えた。

どうしてだろう、突然、『この先も果たして宮田と一緒にいていいのだろうか』、という考えが頭を過《よ》ぎったのだ。

自分は宮田と一緒にいられることを望んでいるし、宮田もきっと同じ気持ちでいてくれているはず。

でも……。

宮田にとって、私といることが本当の幸せなのだろうか……？

こんなことを考えるのは初めてであり、心美は漠然とだが、何かの前兆なのではないかと思ったのだ。

気のせいよ、と心美は自分に言い聞かせ、夕食作りを再開する。

夕食を作り終えたのは六時を少し回った頃だった。

宮田は六時に医院を閉め、いつも七時半にはマンションに帰ってくる。

心美は七時になると同時に、食卓に夕食を並べた。

しかしこの日、七時半を過ぎても宮田は帰ってこなかった。

どうしたんだろうと、心美は宮田の携帯に連絡する。

だが、宮田は出ない。メールを入れても返ってこなかった。

その時、心美は先程考えたことを思い出し、本当に何かの前触れなのかもしれない、
と思った……。

宮田が帰ってきたのは、十時を少し回った頃であった。

心美は一先《ひとま》ず安堵《あんど》し、

「おかえり」

と言った。

「うん、ただいま」

宮田はとても疲れた様子であった。

「どうしたの？ 連絡ないから心配した」

「うん、ちょっとカルテや資料の整理をしていたら遅くなって」

「そう……」

すぐに嘘だと分かった。なぜなら、宮田は今まで一度も嘘をついたことがないから。

「お腹、空いたな」

「今日は先生のリクエストに応《こた》えて、ハンバーグカレーだよ」

心の中とは裏腹に、心美は笑顔で言った。すると宮田はパッと表情が明るくなり、

「そっか、じゃあ早速いただこうか」

いつもはスーツからパジャマに着替えるのに、この日はスーツのまま食卓の前に座ったのである。

動揺している、と心美は思った。

それでも心美は笑顔を絶やさず、カレーを温め直して宮田の前に出した。

「いただきます」

宮田は、どれどれと言いながら一口食べる。

「うん、美味《おい》しい」

「そう、よかった」

宮田はその後、心美と目を合わせず黙々とカレーを食べた。

心美は何も聞かずに宮田の傍から離れ、自分の部屋へと向かった。

しばらくすると、

「ごちそうさま」

という声が聞こえ、宮田が、隣の自分の部屋に入ったのが分かった。

入れ替わるようにして、心美はリビングダイニングに戻る。

お腹が空いていると言った割には、宮田はカレーを残していた……。


心美は昨日宮田が言った、遅くなった理由を嘘だと確信しているが、それでも信じようと自分に強く言い聞かせた。

しかし無意識のうちに、昨日のことを考えてしまっている。

宮田は昨夜、恐らく誰かと一緒にいて、晩ご飯を食べてきたのだと思う。そうでなければ、晩ご飯を残すはずがないのだ。

宮田はきっと、女性といたのだ。女性だから、嘘をついたのだと思う。

だからといって、自分には宮田を責める権利はない。

心美はそう思うと同時に、昨日初めて抱いた考えを思い出し、複雑な気持ちで晩ご飯を作り始めた。そしていつもと同じように、夕食の並ぶテーブルの前で、宮田の帰りを待ったのである。

しかし、この日も宮田は七時半を過ぎても帰ってこなかった。

電話をしても、メールをしても、何の反応もない。

心美は気づけば家を出てエレベーターに乗っていた。

医院に行ってもすでにいないことは知っている。それでも何故かエレベーターで一階に降りて、マンションの玄関扉を開いていた。

心美は何の心当たりもないが、マンションを出て歩き出す。

その時だ。

「本当にダメですか、先生」

駐輪場の方から女性の声が聞こえ、心美は『先生』という言葉に反応し、駐輪場をそっと覗《のぞ》いた。

するとそこには宮田と三十前半と思われる女性がいたのである。

心美はこの時、二人と遭遇したのは偶然なようで、偶然でない気がした。きっと神様が自分をここまで導いたのだと思う……。

女性は宮田をじっと見つめ、しつこく何かをお願いしている。宮田は周りの目を気にしながら、

「困るよ君、家は駄目だ。昨日も言ったろう？」

迷惑そうに言った。

「先生お一人なんでしょう？　洗濯物とかたまってるんじゃないですか？　ついでに掃除と、晩ご飯も作っていきますよ」

「だから困ると言っているんだ。頼むから、今日は帰ってくれよ」

女性は沈んだ顔で、

「嫌です」

と言った。

「なら僕が帰る。じゃあ」

心美は咄嗟《とっさ》に身を隠したが、遅かった。

宮田は心美を見るなり凍り付き、

「心美……」

心美は逃げることはせず、二人の前に姿を現した。しかし宮田を問い詰めることはせず、

「先生、この方は？」

平然を装い、普通の口調で尋ねた。

すると宮田は気まずそうに、

「前に話したろう？　新しく入った、西城美幸《さいじょうみゆき》さんだ」

と言ったのである。

心美はすぐに思い出した。確かに少し前、新しい看護師が入ったと言っていた。

心美は、昨晩宮田が女性と一緒にいたことは想像していたが、まさか前に聞いた新

しい看護師だとは、考えてもいなかった……。

心美は西城美幸を改めて見た。

綺麗《きれい》な黒髪で、美しい顔立ちで、スタイルもいい。何だか不思議な色気を感じる女性だった。

頭上には、『160823６008』の数字が見える。無論計算する余裕などなかった……。

西城も心美と同じように動揺しており、二人を何度も見比べた後宮田に言った。

「もしかして、先生のお子さんですか？」

宮田は心美を一瞥《いちべつ》し、

「あ、ああ」

と返事した。

一応そういう設定になっているとはいえ、心美は一瞬落ち込んだ様子を見せた。

「実は、奥さんもいらっしゃるんですか？」

「いや、妻はいない。それより、子供がいることはみんなには黙っていてほしい」

西城は宮田の声が聞こえていない様子であった。

「そうなんですね、お子さん、いらっしゃったんですね」

西城は無理に微笑みながらそう言った。

「だから」

宮田はこの時恐らく西城の気持ちには応えられないと言おうとしたのだろう。

しかし宮田が次の言葉を言う前に、

「ごめんなさい」

西城は口に手を当てながら走り去っていった。

心美は複雑な想いで西城の背中を見つめる。彼女の姿が見えなくなると、宮田が沈黙を破った。

「何だか、変なとこ見られちゃったな」

「別に、変だなんて」

それから再び重苦しい沈黙が続き、心美はそっと宮田を見た。

宮田は何かを迷っている様子であった。

「正直に、言うよ」

「なに？」

「実は昨日の夜、彼女と夕食を食べに行ったんだ」

「気づいてたよ、とっくに」

「え、そうなのか？」

「西城さんといるとまでは分からなかったけど、先生が女性と一緒だったことは分かった」

「どうして？」

「先生が嘘ついたの、初めてだから」

宮田は心美のその言葉にショックを受けた様子だった。

「言い訳みたいに聞こえるけど、前から誘われていて、何度も断ったんだ。でも、どうしてもって言うから、昨日」

心美は薄く笑い、

「どうして私に遠慮する必要があるの？」

「いや、その……」

宮田は言葉を探しているが、結局答えは出てこず、

「謝るよ。嘘ついて、すまなかった」

「別に、私に謝る必要もないでしょ？」

心美は明るく言ったが、逆に宮田を困らせたようであった。

宮田は無理に笑うと、

「しかし、こんなおじさんのどこがいいんだか」

と言った。しかし心美は笑わず、真剣な顔つきで問うた。

「どうするの？」

「え……？」

「先生のこと、本気っぽかったよ」

「そ、そうだろうか？」

「先生はあの人のこと、どう思っているの？」

宮田は一瞬固まったが、心美に穏やかな表情を見せ、

「心配しなくていい。心美には迷惑かけないから」

と言ったのである。

「さあ、行こう」

宮田は心美に言って、正面玄関に歩を進める。しかし心美はその場から動かず、

「それ、どういう意味よ……」

悲しい声で、呟《つぶや》いた。

その翌日のことであった。

午前中、掃除と洗濯を終わらせた心美は、午後二時過ぎ、晩ご飯に使う食材を買う

ためマンションを出た。

すると突然、

「心美ちゃん、だよね？」

後ろから声をかけられた。

昨日のことでぼんやりとしていた心美はハッとなり振り返った。

視線の先には西城美幸が立っており、頭の中にいた西城が実際に現れたので心美は言葉を失った。

西城は少し気まずそうに心美に歩み寄り、心美の目線の高さまで屈《かが》むと、

「昨日はごめんね」

と言った。

「いえ」

「先生にお子さんがいるなんて聞いてなかったから、驚いてしまって……」

「別に、気にしてないです」

その言葉に西城はなぜか安堵《あんど》し、

「学校はもう終わったの？」

声色を変えて言った。

「え、ええ、まあ」

心美は答えた後すぐ、

「どうして、ここに？」

と聞いた。西城は動揺した様子を見せ、

「来るつもりはなかったんだけど、気づいたら……」

「もしかして、病院辞めたんですか」

「ううん、でも昨日あんなことがあったから、お休みもらったの」

「そうですか」

「ところで心美ちゃん」

「はい」

「これからどこへ行くの？　先生のところ？」

「いえ違います。ちょっと買い物に」

西城は優しい笑みを浮かべ、

「偉いわね。もしかして、心美ちゃんが料理するの？」

「ええ、一応」

「凄《すご》いわ。心美ちゃんは将来、きっといいお嫁さんになるわね」

いつもの心美ならムッとするところだが今日は違った。

「ねえ心美ちゃん」

心美は顔を上げ、

「なんですか」

小さな声で返事した。

「私も一緒に行っていいかしら」

「え……」

想定外の言葉に心美は一瞬固まった。

「心美ちゃんとたくさんお話ししたいの。だめかしら？」

心美は戸惑うが嫌とも言えず、

「別に」

と答えた。曖昧《あいまい》であるが、西城は良い方にとらえ、

「良かった。じゃあ、行きましょう」

と言った。

「はあ……」

心美は仕方なく、西城と一緒にいつものスーパーに出掛けたのだった。

スーパーに向かう途中、心美は西城から色々な質問をされた。

歳は？　誕生日は？　趣味は？　特技は？　学校は楽しい？　好きな教科は？　好きな男の子はいるの？　休日は何して遊ぶの？　お父さんとは普段どんな会話をするの？　お父さんは優しい？

心美は面倒臭いと思いながらも、熱心に話しかけてくる西城を見ていると無視することもできず、愛想はないが一応全ての質問に答えた。

そんな心美とは対照的に西城はずっと笑顔で、昨日とはまるで別人のようであった。

心美は西城を見て思う。

恐らく西城は、自分を気に入ってもらおうと必死なのだ。

愛想良く積極的に話しかけてくるが、相当無理しているのが分かった。

やがてスーパーに到着し、心美はいつものようにカゴとカートを用意する。すると

すかさず西城がカートの取っ手に手を伸ばし、

「私が押すわ」

と言った。

心美は戸惑いながらも、

「あ、はい」

と返事して、次々と食材をカゴに入れていく。

「ねえ心美ちゃん、ところで先生の好きな料理は何かしら？」

心美は、そんなこと本人から直接聞けばいいのに、と思いながらも、宮田の好きな料理を思いつく限り教えた。

すると西城はわざわざそれをメモに取り、

「今度、作ってみようかしら」

恐る恐る、心美の反応を確かめるように言ったのである。

心美はそんな西城を見ていると邪慳《じゃけん》にはできず、内心とは裏腹に、

「喜ぶんじゃ、ないですか」

と言ったのであった。


買い物を終え、スーパーから出た心美は手ぶらのまま自宅へと歩を進める。

後ろには西城がおり、彼女の両手に買い物袋がさがっていた。

何度も断ったのだが、西城が持つと言ってきかなかったのだ。

西城は重い荷物で少し息を切らしながらも、相変わらず色々な話や質問をしてくる。

心美は、西城が無理して頑張っている姿を見ていると段々不憫《ふびん》に思えてきて、それからマンションに着くまでの数分間は、心美なりに愛想良く接した。

マンションに到着すると、心美は西城を振り返った。

西城は残念そうに、

「もう、着いちゃったね」

と言った。

「今日はありがとうございました」

心美は丁寧にお礼を言って、西城から買い物袋を受け取る。

一瞬沈黙となり、

「じゃあ、さようなら」

心美から言った。

「さようなら、心美ちゃん」

西城は最後、寂しげな表情であった。

心美は西城に背を向けて正面玄関に歩を進める。そして、玄関扉に手を伸ばした。

しかし、開ける手前で心美は動作を止め、西城を振り返った。

西城はまだ一歩も動いてはおらず、

「どうしたの、心美ちゃん」

心美は西城にそっと視線をやり、

「お茶、飲んでいきますか」

自分でも意外だが、このまま帰してしまってはあまりに可哀想なのではないかと思ってしまったのだ。

「え、いいの？　でも先生に叱られちゃうよ」

「黙っておけば、いいんじゃないですか？」

西城はしばらく考えた末、

「ありがとう。じゃあ、ちょっとだけ」

口調は遠慮がちであるが、内心とても嬉《うれ》しそうであった。


心美は、いつ誰が来ても宮田が恥をかかぬよう常に部屋を綺麗《きれい》に保っているが、まさか宮田を慕う女性を部屋に入れるとは思ってもいなかった。

自分がそうしたんだけれど、と心美は心の中で言いながら、

「どうぞ」

西城を部屋に入れた。

心美は宮田と自分の部屋を通り過ぎ、西城をリビングダイニングに通した。

「座っててください。今お茶淹《い》れます」

西城はありがとうと言って一旦《いったん》ソファに座ったがすぐに立ち上がり、ソファの向かいにあるテレビボードに歩み寄った。そして、テレビの横に飾ってある三枚の写真を

見た。

どれも、心美と宮田が一緒に写っている。

「二人は本当に仲がいいのね」

本来嬉しいはずだが、

「そうでしょうか……」

素直には喜べなかった。

心美はキッチンに向かい、お茶の準備をする。

まずは茶碗《ちゃわん》を温め、湯を適温まで冷まし、茶を淹れた。

茶の淹れ方は宮田に教わったのではなく、宮田に美味《おい》しいお茶を飲んで貰《もら》いたくて、もう十何年も前に自分で調べたのだ。

まさか宮田を慕う女性にお茶を淹れるなんて。

またしてもそんなことを思いながら、心美はお盆に茶碗を載せ、西城に茶を出した。

「どうぞ」

西城は、子供の姿をした心美に恐縮し、いただきますと言って、一口飲んだ。

「美味しい。心美ちゃん、お茶の淹れ方上手ね」

「いえ」

すぐに会話が途切れ、心美は沈黙が息苦しくてキッチンに向かった。

すると、リビングから西城の声が聞こえてきた。

「一つ、心美ちゃんに聞きたかったことがあるの」

心美はキッチンから返事した。

「どうしてお父さんのこと、先生、と呼ぶの？」

「そう、でしたっけ？」

「初めて会った時も確かそう言ってたし、今日も、何度か」

この時心美は本当のことを話してしまおうかと思ったが、

「昔からそう呼んでいるから、癖です」

結局はそう言っていた。

「そう、何だか面白いわね」

それから再び沈黙となり、心美は、そろそろ飲み終えただろうか、とリビングに戻った。

しかしお茶はまだ半分も残っており、再びキッチンに向かおうとした。

その時だった。

「心美ちゃん」

意を決したような声色であった。

「は、はい」

西城は酷《ひど》く緊張した様子で、

「今日は、ありがとう。短い時間だったけど、とても楽しかったわ」

と言うと、恐る恐るこう聞いてきた。

「心美ちゃん、また、先生に内緒で来てもいいかしら」

心美は案外驚かなかった。また会いたいと言われるのではないかと、頭のどこかで想像していたから。

「もっと心美ちゃんと仲良くなりたいの」

それは偽りではなく、本心のようであった。

心美はこの時、この人は私が思っていた以上に宮田のことを真剣に考えているんだなと思った。

彼女はさすがに口には出さないが、この様子だと『母親』になってもいいと考えているに違いなかった。

「心美ちゃんさえよければ、また今日みたいに一緒に買い物したり、色々なお話をしたいの」

本心はNOだ。でも心美は最後まで断ることができなかった。

それは、ある思いを抱いているから……。

心美は心のどこかで、西城が心変わりすることを願っていた。しかし西城の気持ちは変わらず、休みの度宮田に内緒で家にやってきたのである。

やってくるなり西城は、学校はどうだった？　と母親みたいに聞いてきて、宮田が帰ってくるまでの間、夕飯を作ったり、掃除をしたりと、まるで宮田の妻のように、積極的に家の仕事をした。

最近の心美とは裏腹に、家事をしているときの西城はとても生き生きしていて、明るい未来しか見えていないようであった。

心美は西城がいるとき、自分の役割がなくなったようで、悲しいと言うよりも何だか虚《むな》しい気持ちになる。と同時に、心美の中で抱いていたある想いが段々強くなっていった……。

そんな日々が二ヶ月ほど続いた、ある日のことだった。

午後三時を少し回った頃、心美は財布を持ってスーパーに出掛けた。

しかしマンションを出た直後、駐輪場の方から女性のすすり泣く声がして、心美はまさかと駐輪場を覗《のぞ》いたのである。

やはり、泣いていたのは西城美幸であった。

西城は誰かと電話しており、心美はこの時、電話の向こうは宮田だと確信していた。

しかし西城はこう言ったのだ。

「彼、私とは結婚するつもりはないし、心美ちゃんも、母親を必要としていないって。この先も二人で暮らしていくって……」

心美はこの瞬間、昨日か今日か定かではないが、とにかく宮田と西城の間で真剣なやり取りがあったことを知った。

「私、本気で彼のこと考えてた。心美ちゃんの本当の母親になろうって、頑張った。それなのに……」

西城は力を無くし、とうとうその場に屈《かが》んでしまった。

西城は泣きながら首を横に振る。

「無理だよ、私彼のこと諦《あきら》めきれない」

そして西城は相談相手にこう言ったのである。

「心美ちゃんがいなければ彼、私と一緒になってくれていたかな……」

心美は視線を落とし、そっと駐輪場を後にした……。

テクが玖美との別れを決意してから半年が過ぎ、気づけばもう、桜の咲く季節である。

テクは、いよいよなんだな、と心の中で言った。

玖美は、もうじき咲く桜を心待ちにしているが、その頃にはもう、玖美と木村の前から姿を消しているだろう。

三ヶ月前玖美と木村は婚約し、五日後、結婚式を挙げるのだ。

テクは結婚式には出席する予定だが、式が終わったら、二人に別れを告げぬまま去ろうと思う。

別れるには、ちょうどいい季節なんだ……。

しかしあっという間の半年だったな、とテクは思う。

玖美に別れの意思を告げていないテクは、いつもと変わらぬ平凡な日々を送ったが、その中でたくさんの想い出を作ったつもりだ。

しかし正直まだ実感が湧かない。

無理もない。玖美とは十九年間もの時間を一緒に過ごしてきたのだから……。

テクは一瞬込み上げた悲しい想いを振り払い、今日はいつも以上にたくさんの想い出を作ろうと、思う。

三月二十三日の今日、テクは二人と一緒に横浜に出掛ける約束をしており、もうじき木村が迎えに来る。

木村との約束を守るのは、今日が初めてだった。

これまで、色々な感情があってずっと木村からの誘いを断り続けてきたが、今日は特別だ。

三人で出掛けられるのは今日が最後になるだろうから……。

横浜に行くことを提案したのは木村だった。どうやら、本牧《ほんもく》赤レンガ倉庫でしか食べられない有名なパンケーキ屋があるらしく、どうしてもそこで食べたいのだそうだ。

その後、桜木町の映画館か、遊園地で遊ぼうと木村は言った。

テクはそれを聞いた時、まるで子供が立てたみたいなプランだな、と馬鹿にしていたが、一方では、木村が『横浜』を選んだことが、純粋に嬉《うれ》しかった。

木村はテクのことを『何も』知らないが、木村が横浜に行こうと言ったとき、テクは偶然なようで、偶然でない気がしたのだった……。

何も知らない玖美は、いつものようにウキウキとおめかししている。テクはすでに準備ができており、デートの支度をする玖美を後ろから見つめていた。

この時、テクは思った。

もし自分が人間で、いや、使者のままでもいいが、玖美と一緒に身体が成長していたら、どうなっていただろう、と……。

何を今更、とテクは思った。

玖美が木村と一緒になるのも、運命なんだ。これは寿命と同じで、生まれた時から決まっていたのだから、仮に自分が人間だったにしても、玖美は木村と結婚していたのだ。

「どうしたのよテクちゃん、ボーッとして」

玖美に声をかけられたテクはハッとして、

「いや、何でもない」

「それより、今日の服どう？　可愛い？」

玖美は春らしく、花柄のワンピースにピンクのカーディガンを羽織っている。

「いいと、思うよ」

玖美は二十九歳とは思えないほど可愛らしい笑顔を浮かべ、

「ありがとうテクちゃん」

と言った。

テクは時計をちらりと見て、

「準備は終わったの？　そろそろ来るよ」

玖美に告げた。

「大丈夫。それよりテクちゃんこそ、またいつもみたいに土壇場で断るのはやめてよ？」

玖美に念押しされたテクは優しく微笑み、

「今日は絶対に行くよ。絶対に」

「木村さん、とても喜ぶと思うわ」

しかしなぜか、約束の九時を過ぎても木村は迎えには来なかった……。


テクと玖美の表情から笑みが消え、不安の色を帯びる。

先程から玖美が携帯に電話をかけているのだが、出ないのである。

木村は少し頼りない一面もあるが、時間にはとても厳しい人で、テクの知る限りでは木村が遅刻したことはない。連絡がつかないとなると、余計に心配である。

家の外で木村を待つ二人は、同時に携帯を見た。

時刻は九時三十分を回ったが、車がやってくる気配はない。

「どうしたのかしら」

「きっと、高速が渋滞しているんだよ」

「だったら、電話に出ると思うけど」

「真面目な人だから、運転中は出ないんだよきっと」

テクと玖美は、そうであることを祈った。

しかし、十時を回っても木村はやってこなかった。それどころか、メールすらないのだ。

「一旦《いったん》家に戻りましょう」

玖美がテクに言った、ちょうどその時だった。

玖美の携帯電話が鳴ったのである。

玖美は安堵《あんど》の息を吐いたが、画面を見た途端影が差した。

「お母さん……？」

電話をかけてきたのは木村ではなく、木村の母親であった。

「もしもし、お母さん」

電話に出てから数秒後、玖美の表情が停止した。

「嘘……」

声を震わせながらそう言った。

「はい、はい、分かりました、すぐに、すぐに行きます」

通話を終えても尚《なお》、玖美は携帯を耳に当てたまま硬直していた。が、急に激しく震えだし、

「彼が……彼が」

今にも消え入りそうな声で言った。

「どうしたの！」

玖美はやっとテクを見て、

「事故で青葉病院に運ばれたって。意識不明の重体だって……」

「嘘だろ？」

テクは一瞬混乱したが、すぐに冷静さを取り戻した。

「落ち着いて玖美、絶対に大丈夫。彼は、今日死ぬ運命ではないのだから」

玖美はその言葉に少し安心し、

「そうよね、そうだよね」

自分に言い聞かすように言った。しかしまだ混乱している玖美はその場から動けず、テクは玖美の手を取り、走り出した。


テクと玖美が千葉市にある青葉病院に到着したのは凡《およ》そ一時間後、十一時を過ぎた頃であった。

二人はタクシーを降り病院に駆け込む。

木村は現在四階の緊急手術室にいるとのことであり、テクと玖美はエレベーターではなく階段を使って一気に四階まで駆け上がった。

緊急手術室の前には木村の両親がおり、玖美を見るなり二人は長椅子から立ち上がり、玖美に駆け寄る。

「お父さん、お母さん、賢さんの意識は？」

二人は首を振り、

「まだ、分からない」

父親が言った。

玖美は重い息を吐き、両手を顔にあてた。

「どうして、こんなことに……」

「警察の人の話によると」

母親が言った。

「高速を走っている最中突然追突されたらしくて、ハンドルを取られて……壁に」

母親は言葉に詰まるが、自分を落ち着かせるよう大きく息を吐き、

「追突してきたのは若い女性で、居眠りしていたか、突然意識を失ったか、どちらかだろうって」

「女性の、方は」

母親は複雑そうな表情を浮かべ、

「軽傷で、済んだらしくて……」

なんてことだ、とテクは頭の中で叫んだ。

加害者が軽傷で、被害者が重体。こんなことが許されるのかと、テクは怒りに震える。

するとと木村の母親から、

「テクちゃん、だね？」

と声をかけられた。

テクはハッとして、握っていた拳《こぶし》を開いた。

「はい」

「大丈夫だからね、心配しないでね。おじさん、必ず助かるから！」

木村の母親が力強くそう言った。

テクは木村が今日死ぬ運命ではないことを知っているが、この時、木村の母親から力を貰《もら》った気がした。

「はい」

テクも力強く返事して、手術室に視線を向ける。そして治療を受ける木村に、絶対に大丈夫だから、と心の中で声をかけた。

そんなテクとは対照的に、

「本当に、大丈夫だよねテクちゃん」

玖美が不安そうに言った。

「大丈夫さ。玖美だって、知っているだろう」

「うん、でも」

「でも？」

玖美は両親を一瞥《いちべつ》し、両親に聞こえぬ声で、

「何か障害が残るんじゃないかって……心配で」

その点については全く考えていなかったテクは一瞬言葉に詰まるが、

「いや大丈夫、絶対に大丈夫！」

自分に言い聞かすように言って、木村が何事もなく手術室から出てくることを祈った。

その数分後であった。

手術室の扉が開き執刀医が出てきたのである。

玖美と両親は同時に立ち上がり執刀医に駆け寄る。しかしテクだけは、椅子から立ち上がった状態のまま、動かなかった。

なぜなら、妙な違和感を抱いたからである。

木村は助かったはずだ。

なのに執刀医の表情が、暗いのだ。

「先生！　賢は！　賢は！」

木村の母親が問うと、執刀医は残念そうに首を振り、

「全力を尽くしましたが……」

と言ったのである。

次の瞬間にはもう玖美たちは手術室に駆け込んでいたが、テクは立ち尽くしたまま動けなかった。

「嘘だろ……？」

テクはやっと足が動き、恐る恐る手術室に向かう。

木村の身体は手術室にあるベッドに移されており、玖美と両親が、木村を囲んで泣いている。

テクは一歩、また一歩と木村に歩み寄る。

木村の顔は真っ白で、テクは自分の目を疑った。

「そんな、馬鹿な」

木村の頭上に浮かぶ数字が、『0』一つなのだ。

「嘘だ！　どうして！」

テクは思わず叫んだ。

そんなはずはない。木村はまだ五十年以上生きられる運命だったのだ。それは絶対に間違いない。

なのに、どうして……！

テクは一瞬人違いなのではないかと思ったが、やはり木村に間違いないのだ。

テクは、世界がひっくり返ったような想いであった。

「寿命が、縮まった……？」

いや果たしてそうだろうか、とテクは思った。

木村の寿命が縮まったのではなく、特別な力を持つこの眼が、狂いだしたのではないかと思った……。


木村の遺体は看護師たちによって霊安室に運ばれ、看護師たちがその場から去ると、玖美が抑揚のない声で言った。

「どうしてこんなことになるんですか。賢さんが一体、何をしたっていうんですか」

まるで心を失ってしまったかのような玖美を、木村の母親が泣きながら抱きしめる。

その二人を、今度は木村の父親が優しく抱きしめた。

テクはその間、ずっと木村の遺体を眺めていた。

木村を失った悲しみよりも、正直信じられないという想いの方が強く、なぜ木村が死んだのか、そればかりを考えていた。

しばらくすると木村の両親が霊安室を出て行き、テクは玖美にそっと視線を向ける。

放心状態の玖美は木村をぼんやりと見つめたままだが、

「どうして」

突然今にも消え入りそうな声で言った。

「テクちゃん」

テクはもう一度、玖美を見た。

玖美は木村の遺体を眺めたまま、力無くこう言った。

「どうして私に嘘をついたの」

「嘘?」

「そうよ、嘘よ。木村さん、死んじゃったじゃない」

テクは首を横に振った。

「俺にも分からないんだ。間違いなく彼は、今日死ぬ運命じゃなかった。なのに!」

「信じてたのに」

玖美はテクを遮り、

「信じてたのに」

もう一度言った。

「玖美……」

「テクちゃんが本当のこと教えてくれていれば、テクちゃんが彼に時間を与えてくれていれば、残りの時間、私たちはもっと違う時間を過ごしていたわ」

「待ってくれ玖美、俺だって分かっていれば最初から言っていたよ」

テクは必死に誤解を解こうとするが玖美には聞こえておらず、

「テクちゃんは私のためを思って本当のことを言わなかったのかもしれないけれど、そんな優しさいらない！」

「玖美」

「最低よ……」

心を貫かれたような想いだった。

玖美の言葉が悲しくて、寂しくて、テクは玖美に何も告げずに霊安室を出て、病院を後にした……。


気づけばテクは、時計台の下にいた。

テクは傍にあるベンチに腰掛け、携帯を手に取る。

時刻は八時五十五分。あれから九時間近く経ったが、未《いま》だ玖美から連絡はない。

テクは玖美が心配で『発信』ボタンに指を伸ばすが、どうしても押すことができない。玖美の反応が、怖かった……。

テクは携帯を握りしめたまま重い溜息《ためいき》を吐く。

何となくだが、玖美はもう連絡してこないのではないかと思う。もしかしたら明日にはもう、この携帯も解約されてしまうかもしれない。

こんな別れ方不本意だ。

しかし、仕方のないことだった。

テクからすれば木村の死は不可解な出来事であるが、玖美にとってはテクの嘘で裏切られたという思いを強く抱いているだろう。

いや最悪、幸せを奪われたという風に思っているかもしれない。

「もう、無理かな」

テクは思わず声に出していた。

今までのような関係に戻るのは、もう無理かもしれない……。

「しかしなぜだ。何が起こったんだ……！」

木村の姿を思い浮かべながら叫んだ。

何度思い返しても、木村は今日死ぬ運命ではなかった。なのに死んだのだ。

やはり、特別な力を持つこの眼が狂いだしたとしか考えられない。

テクは目の前を行き交う多くの人間に視線を向ける。

全員の頭上に数字が見え、一秒、また一秒と減っている。しかしこれは正確な『残り時間』ではないということか……？

だとしたら、いつから狂い始めたというのか。

いや、待て。

突然テクの頭に新たな像が浮かんだ。

もしも残り時間を減らすことのできる『使者』がいたら？

寿命を延ばすことができる『使者』がいるのだから、寿命を縮める『使者』がいてもおかしくはない。

その者等は、罪を犯した人間の寿命を縮めるために存在する……。

テクは首を横に振った。

仮に逆の使者がいたとしても、木村の寿命を縮める理由がないのだ。

木村の全てを見てきたわけではないが、断言できる。木村は、天罰を受けるような人間ではなかった。

ではやはり、自分自身の問題か……。

「退屈そうだね」

テクの動作が一瞬止まった。

後ろからだが、自分が声をかけられたのだとすぐに分かった。

なぜなら、よく知る声だからである。

テクは座ったまま振り返った。

そこにはやはり、黒いネックレスの少年が立っていた。昔とは違い、彼は今『黒い髑髏《どくろ》』のネックレスを付けている。

「また会えたね」

テクは向き直り、重い息を吐いた。

「何年ぶりかな。もう、十八年は経つんじゃないかな」

「……」

「君がまだいてくれて嬉《うれ》しいよ」

「……」

「どうしたんだ？」

黒いネックレスの少年はそう言ってテクの隣に座った。しかしテクは立ち上がることはしなかった。

「なんだ、いつもと調子が違うじゃないか。何かあったのかい？」

テクは目の前を行き交う人間たちを見つめたままであった。

黒いネックレスの少年はやれやれというように息を吐くと、

「久々に再会したんだ、無視はないだろう？　話し相手になってくれよ」

「……」

テクはやはり黙ったままであるが、黒いネックレスの少年は構わず話し続けた。

「毎日が退屈でさあ、日本中がパニックになるような計画を考えているんだが、なかなか思いつかなくてね」

黒いネックレスの少年は、全く興味を示さないテクを見るとフッと笑い、

「一昨年の十二月二十四日を憶《おぼ》えているかい？」

テクはそれだけではピンとこなかったが、

「あの日、日本各地で様々な事件が起こっただろう？」

その言葉と同時にテクは思いだした。一年以上前であるが、クリスマスイブだったのでよく憶えている。

確かに、日本各地で事件や事故が相次いだ。

「実は、あれは僕が仕組んだことなんだよ」

テクは黒いネックレスの少年を見た。

「フフフ、驚いただろう？　あれはね、僕が十何年もかけて十万近い信者を集め、前日、信者たちにこう言ったんだ。お前たちは明日死ぬ運命に変わった、助かりたければ、恨んでいる人間を一人殺せ、と」

テクは表情には出さないが、そういうことだったのか、と冷静に納得した。

その直後、愉快そうに喋《しゃべ》っていたはずの少年が突然舌打ちし、

「使えない奴らだったよ」

と、珍しく怒りを露《あら》わにした。

「確かにあの日、僕の言葉を信じて殺人や放火を実行する者もいた。しかし、一時騒然となった程度で、僕が想像していた光景とはかけ離れていた。僕は、命を惜しむ信者が全員殺人を犯し、日本中がパニックになる光景を思い描いていたんだが……」

黒いネックレスの少年はまた舌打ちし、

「全く、期待を裏切ってくれたよ。結局殆《ほとん》どの奴らが、人を殺せない小心者だったんだ。ただ怯《おび》えながら時間を過ごしたんだろう」

少年は一旦《いったん》興奮を静めると、

「できれば、もう一度奴らを使って騒動を起こしたいところだが、もう僕の言葉は信じないだろうね」

自嘲《じちょう》気味に笑ってそう言った。

テクは、黒いネックレスの少年から事実を知った瞬間は衝撃を受けたが、今のテクは怒りも何も湧いてこず、どうでもいい、と心の中で言った。

「なあ、そんなことよりも」

テクは無意識のうちに、黒いネックレスの少年に話しかけていた。

「君は今まで、自分の知る人間の寿命が縮まった、という経験はあるかい？」

黒いネックレスの少年は意外そうに、

「君がそんな風に僕に質問するなんて珍しいね」

と言った。

「あるかい？」

黒いネックレスの少年は首を横に振った。

「いや、ないよ。延びることはあっても、縮まることは有り得ないからね。なぜなら寿命は決められた運命なのだから」

テクは視線を落とし、

「そうか、そうだよな」

「一体、どうしたんだ？　今日の君は、君らしくないね」

テクは、人間たちの頭上に浮かぶ数字を見た後、そっと瞼《まぶた》を閉じた。

自分が与えられる時間は、たった『７２００』秒、つまり二時間分だ。

テクは瞼を開けると、玖美の姿を思い浮かべながらこう言った。

「どうせ俺が与えられる時間は残りたった二時間なんだ。もし、今この眼に見えている人間たちの寿命が正確でないのであれば、俺が使者として存在している意味はない。

いっそ誰かに時間を与えて、この世から消えようか……」

テクの胸中を知った黒いネックレスの少年は、テクに何も告げぬままその場から去り、彷徨《さまよ》うように桜木町の街を歩いた。

少年は、地面に落ちているペットボトルを弱々しく蹴《け》り、

「そうか、もう会えなくなるか」

と呟《つぶや》いた。

少年はテクが言った、『この眼に見えている人間たちの寿命が正確でないのであれば』という言葉がとても気になるが、それ以上に意外だったのは、テクが人間に時間を与えていて、残り二時間だったことだ。

少年は思う。

今日彼に会ったのは十九年ぶりだが、自分の知らない間に、多くの出会いと別れを経験したんだろうな、と。

いや……。

少年の頭にふと、一人の少女が浮かんだ。

てっきり、自分が流した噂が原因で彼は『あの娘』と別れたとばかり思っていたが、

もしかしたら、ずっと一緒にいたのかもしれない。

根拠はないが、何となくそんな気がしたのだ。

その時、少年はふと思った。

もしや、あの彼女が死んだのか？

初めて彼女に会ったとき彼女の『残り時間』を見たが、確か短命ではなかったと思う。だが、『何か』が起きて、寿命が縮まった？　だから彼はあんなことを聞いてきたのか？　最後にあんな言葉を洩《も》らしたのか？

「とにかく彼がいなくなってしまったら、余計に退屈になるな……」

少年が次いで思ったのは、どんな人物に時間を与えたんだろうか、ということだった。

あの彼女でないとしたら、彼女の両親とか、友人とかだろうか？

そう考える少年は、テクのことをある意味羨《うらや》ましく思った。

きっと、彼は平凡な日々を過ごしてきたんだろう。しかし一つだけ確かなのは、彼の残り時間を考えると、充実した日々だった、ということである。

それに比べ、自分はどうだ？

「……」

少年はそっと瞼を閉じ、中心に浮かぶ数字を見る。

六十五年以上生きているが、未《いま》だ一秒すら使っていない。

少年はこの時初めて思った。

自分も、時間を与えてもいいと思えるほどの人間に出会いたい。それは無論、過激で、刺激的で、暴力的な人物だ。そして彼とは意味合いが違うが、充実した日々を送りたい。

少年が足を止めたのはその直後だった。

目の前には大型家電量販店があり、少年は引き寄せられるように、店頭で売られているいくつもの大型テレビに歩み寄った。

なぜならそのいくつも並ぶテレビから、

『一週間後の三月三十日の日曜日、横浜で大災害が起きるであろう！』

という、男の言葉が聞こえてきたからである。

そう予言したのは勅使河原宝玉であった。

十八年前よりも小柄になった勅使河原は、狐のように細い目でカメラをじっと見据えている。

昔と違って長い髪は束ねておらず、髭《ひげ》も真っ白に変わっている。しかし相変わらず恰好《かっこう》は白装束である。

勅使河原の後ろには、同じく白装束をまとった信者がいる。しかし昔と比べ数は激減し、今は僅《わず》か十人程度だ。

　勅使河原の向かいには司会者、芸能人、評論家、それに大学教授たちが並んでおり、少年はすぐに勅使河原との対決企画であることを知った。

「久々に出てきたなこの男」

　少年は言った後あることに気づき、一人大笑いした。

「しかし全く懲りない男だな」

　少年は呆《あき》れたように言う。

　少年と同様、スタジオにいる観客や、少年の周りにいる人々も、呆れた様子で勅使河原を見つめている。

　それは当然のことであった。勅使河原は未だ自らを『グレートプロパー』と名乗っているが、勅使河原はシカゴで起きた大地震を的中させて以来二十一年もの間、一度も予言を当てていないのだ。

　無論、少年が桜木町駅で直接聞いた予言も当たらなかった……。

　それ故、今では世間から全く相手にもされていない存在であった。

　勅使河原に対し、一人の男性評論家が言った。

「勅使河原さん、もう一度お聞きしますが、一週間後の三月三十日、横浜で大災害が起きるんですね？」

勅使河原は目を閉じながら、余裕の態度で頷《うなず》いた。

「そうです」

するとと男性司会者が聞いた。

「それは何時頃ですか？」

勅使河原は目を閉じたまま難しい表情を浮かべ、

「太陽が、真上に昇っているのが見えます」

と言った。

質問した司会者は露骨に呆れた態度を見せ、

「昼ですね？」

と言った。

「勅使河原さん、横浜と言いましたが、横浜は広いんですよ。もっと具体的な位置を教えていただけませんかねえ」

今度は大学教授が尋ねた。

勅使河原はすぐさま、

「中心部です」

と言った。

その答えに、皆が顔を見合わせて馬鹿にしたように笑った。

「勅使河原さん、大災害と言いましたが、具体的にどんな災害ですか？」

ある女性芸能人がそう質問すると、勅使河原は再び難しい表情を浮かべる。一週間後の横浜の光景を見ているようであった。しかし、勅使河原はなかなか答えない。すると、質問した女性芸能人がしびれをきらしたようにこう言ったのである。

「勅使河原さん、はっきり言わせて貰《もら》いますけど、本当は何も見えていないんでしょ？　ただ適当に言っているだけでしょ？　あなたの予言、全く信用できないんですよ。

だって、最初のシカゴ地震以来一度も当たっていませんよねえ？　シカゴ地震の予言も、本当はただ適当に言っただけだったんじゃないですか？　それが偶然的中しただけじゃないんですか？　そうとしか思えませんよ」

女性芸能人のその言葉を皮切りに、勅使河原への容赦ない攻撃が始まった。

「そうだ！　また出鱈目《でたらめ》なんだろ？」

「徒《いたずら》に国民を不安がらせるのはもう止めてもらえませんか？」

「いや、国民は不安になんて思ってませんよ。今ごろテレビの前の人も笑ってるでしょ」

別のカメラが勅使河原の様子を映す。

目を閉じたままだが、目の辺りがぴくぴくと痙攣《けいれん》しているのが分かる。

それでも司会者たちは止めなかった。

「悪いことは言わない。今すぐ訂正した方がいい。また恥をかくだけですよ」

「それより早く、どんな災害が起こるのか教えてくださいよ、大先生」

勅使河原は依然目を閉じているが、身体中が激しく震えていた。

「どうせ何も見えていないんでしょ？　何が予言者だよ、ただのペテン師じゃないか！」男性評論家が『ペテン師』と言った瞬間だった。

勅使河原はカッと目を開き立ち上がった。そして激しく震えながら叫んだ。

「私を、私を、ペテン師と言ったな！」

「ああ、言いましたよ。だってそうじゃないですか。適当なこと言って、世間を煽《あお》っているだけでしょ。それをペテン師と言うんだ！」

司会者たちは勅使河原を嘲笑《ちょうしょう》する。テレビ越しでは分からないが、少年は、スタッフたちまで笑っているような気がした。

勅使河原は恐ろしい形相で全員を睨《にら》み、

「天罰」

と小さな声で言った。

その瞬間少年は、昔と全く同じだなと笑った。

「はい？　何ですか？」

司会者が聞き返すと、勅使河原は叫んだ。

「あなたたちには、天罰が下る！」

一瞬スタジオが静まりかえったが、司会者たちはクスクスと笑い、

「大予言の次は、天罰ですか」

と虚仮《こけ》にした。

すると、怒りに震えていた勅使河原であるが、急に痙攣し始めた。

次第に呼吸も激しくなり、さすがの司会者たちも、

「勅使河原、さん？」

心配そうに声をかける。

勅使河原は小刻みに震えながら、

「天罰、天罰、天罰……」

と繰り返し唱える。

その直後であった。

天罰という言葉を繰り返す勅使河原が突然目を剝《む》いて倒れたのである。

スタジオに悲鳴が響くと同時に、テレビの前を行き交う人々が足を止めテレビに注目する。

その直後CMに入り、少年は小さく笑った。

そして、別段驚くことではない、と心の中で言った。

少年が最初大笑いしたのは、全く当たらないインチキ予言者がテレビに出ていたからではない。

予言が当たる当たらないにかかわらず、勅使河原は三月三十日まで生きられないことに気づいたからであった。

無論少年は憶《おぼ》えている。

勅使河原に初めて会った日、寿命を告げたことを。

勅使河原に残された時間は、倒れた時点で『２５９１９９』秒だった。つまり彼は三日後に死ぬ運命なのだ。

「ほおら、僕の予言当たったでしょ？」

少年は笑いながらそう言って、テレビに背を向ける。

しかしすぐに少年の動作が止まった。

「いや待てよ」

ある光景が、頭を過《よ》ぎったのである。

少年はもう一度テレビに視線を向けると不気味に笑った。

「いいこと思いついたぞ」

勅使河原宝玉が倒れてからちょうど十二時間が過ぎた。

勅使河原の死が『21590』秒後と迫っている中、何も知らない十人の信者たちは再び病院を訪れた。

しかし信者たちの願いとは裏腹に、勅使河原の容態は昨夜と変わらず好転していなかった。

信者たちの瞳《ひとみ》には、昏睡《こんすい》状態の勅使河原の姿が映っている。彼らは、勅使河原の意識が戻ることを強く念じる。

そこに、黒いネックレスの少年が現れた。

「いくら念じたって無駄だよ。どんな病気か知らないが、その人、二日後の十時に死ぬ運命なんだから」

十人の信者たちが一斉に振り返るが、少年の姿を見るなり鋭い目つきから怪訝《けげん》そうな表情に変わり、誰？　というように皆が顔を見合わせる。

少年は何人か見覚えがあるが、向こうは全く気づいていない。無理もない、あれから十八年の月日が流れているのだから。

少年は続けて信者たちに言った。

「僕には見えるんだ。その人の『残り時間』が」

一人の男性信者が、

「残り時間だと？」

厳しい口調で言った。

「そう、彼はあと、215748秒後に死ぬ運命だ」

信者たちは一瞬戸惑いと動揺の色を見せるが、

「一体何なんだこのガキは！　全く縁起でもない。誰かさっさとつまみ出せ！」

中年の信者がそう叫ぶと、若い信者が少年に歩み寄り、少年の右腕を摑《つか》んだ。

しかし少年は抵抗せず、余裕の表情で信者を見上げると、

「いいのかい？　僕にこんな乱暴して。この人を助けられるのは、僕だけなんだよ？」

脅迫するように言った。

すると一瞬若い信者の動作が止まり、少年はその瞬間信者の手を振り払った。そして信者たちに厳しくこう言い放った。

「無礼だぞ」

突然人が変わった少年に信者たちは言葉を失い、愕然《がくぜん》とした表情で少年を見つめる。

「もう一度言う。彼はあと二日後に死ぬ運命だが、僕の力を使えば、彼を助けることができる」

信者たちは顔を見合わせ、再び少年に目を向ける。

少年は薄く笑うと、

「こうすれば、信じるだろう」

と言い、勅使河原に近づいた。そして昏睡している勅使河原の右手を取り、静かに瞼《まぶた》を閉じた。

初めて黒いネックレスの少年が人間に時間を与えた瞬間であった。

少年は、一時的だが勅使河原の容態が良くなることを知っている。

大昔とある病院で、見知らぬ使者が死の迫った昏睡状態の患者に時間を与えた瞬間を、偶然目にしたことがあるのだ。

その時と同様、勅使河原の細い目が開いた。まるで普段の睡眠から覚めたようであった。

信者たちは驚愕《きょうがく》し、

「先生、先生！」

勅使河原に向かって叫んだ。中には少年に向かって、

「奇跡の子だ！」

と叫ぶ者もあった。

勅使河原はゆっくりと起き上がると、邪魔くさそうに酸素マスクを外し、ここはど

こだという風に部屋を見回す。

「私は……」

「昨晩スタジオで倒れられて、救急車で運ばれたんです」

「救急車……」

勅使河原は全く憶えていない様子であったが、

「そう」

何かを思いだしたように呟《つぶや》いた。

「突然激しい頭痛に襲われ、息苦しくなり……」

一人の信者が、言いづらそうにこう告げた。「蜘蛛膜下《くもまくか》出血、だそうです……」

「蜘蛛膜下、出血。この私が」

勅使河原は大きなショックを受けたようだった。

「昨晩からずっと昏睡状態だったんです。ですが」

信者たちは一斉に黒いネックレスの少年を見た。

「この少年が先生の右手に触れた途端、先生は意識を取り戻されたんですよ！」

勅使河原は狐のように細い目で、隣にいる少年を見た。

「この少年が？」

「信じられませんが、本当なんです」

信者がそう言った、その刹那《せつな》だった。

少年を見つめる勅使河原が突然口を開け、ああ、ああ、と叫んだのである。

信じられないというような様子を見せる勅使河原に、少年は言った。

「憶えていてくれたんだ、僕のこと」

勅使河原は口を開けたまま硬直している。

「じゃあ僕が最後、あなたに言った予言も憶えている？　十八年後の三月に死ぬって言ったでしょう？」

その言葉に信者たちは顔を見合わせ、一人、二人と、『あの時の少年』であったことに気づき出す。

勅使河原は少年の身体をまじまじと見つめ、

「どうして……どうして！」

震えながら叫んだ。

少年はフフと笑い、

「僕は何年経っても年を取らないんだ」

誰も口を開かないが、先《さっき》とは明らかに態度が違った。

「僕には心臓がない。骨もない。血だって流れていない。なぜなら、人間じゃないから。僕は『使者』なんだ」

少年は自分の正体をあえて打ち明けた。信者たちはざわつくが、少年を馬鹿にする者はいなかった。

勅使河原は愕然とするが、

「使者」

その声は興奮していた。

「天からの使いか」

「さあ、それは知らない。とにかく僕は人間の寿命が分かる。更には、人間に時間を与えることもできる」

少年は勅使河原の目を見つめたまま、こう続けた。

「あなたがこうして意識を取り戻したのは、僕があなたの寿命を延ばしたから。僕がここに来なければあなたは二日後に死んでいたんです」

勅使河原の喉《のど》が唾《つば》で鳴った。

「二日後……」

予言者とは思えぬ反応に、少年は思わず笑ってしまった。

「あなたは私のおかげで本来の運命よりも長く生きることができる」

少年は安心させるように言ったが、すぐに付け加えた。

「ただ」

「ただ？」

「三日しか、時間を与えませんでした」

　事実そうである。少年はあえて、勅使河原が大災害を予言している三月三十日までは時間を与えなかった。今の段階では、与える意味がないからだ。

「つまりあなたは、五日後に死ぬんです」

　勅使河原の顔色が一気に青ざめた。

「五日後」

「こうして意識があるのも一時的で、すぐにまた昏睡《こんすい》状態に陥るでしょうね」

　少年は不気味に笑うと、声の調子を変えて言った。

「昨日の生放送観てましたよ。三月三十日に横浜で大災害が起こると予言しましたね」

　勅使河原は寿命のことを忘れたかのように、自信に満ちた顔で頷《うなず》いた。

「ああ起こる。私には見える」

　しかし少年は、

「いや、絶対に起きません。僕には見えないから。あの時と同じでね」

　切り捨てるように言った。

　真っ向否定された勅使河原は顔に怒気の色を浮かべる。

少年は心の中で笑うと、

「世間に馬鹿にされたままでいいんですか？」

迫るような口調で言った。

勅使河原は一転動揺の色を浮かべ、

「な、何を言う、私は」

「予言者ではなく、ペテン師でしょう」

突き刺すように言った。

勅使河原は少年の言葉と同時に昨晩の屈辱を思いだしたらしく、昨晩と同様激しく震えだした。

少年は勅使河原を追い詰めるように、

「ペテン師と言われたまま終わっていいんですか？」

と問うた。しかし少年は勅使河原に間を与えず、

「見てみたいなあ、横浜で起こる大災害」

と言った。

勅使河原は生唾《なまつば》を飲み込み、少年を見た。少年は薄気味悪く笑うと今度は信者に視線を向け、

「あなたたちも同じ気持ちでしょう？　先生がペテン師呼ばわりされて、ずっと悔し

い思いをしてきたんでしょう？」

信者たちの表情は様々だが、

「ならば復讐《ふくしゅう》すればいい」

少年のその言葉で、信者たちの顔が狂気に満ちていく。

勅使河原は、沸き上がる興奮をおさえ、勅使河原に視線を戻す。

勅使河原は、怒りと不安が入り交じったような複雑な表情を浮かべており、

「勅使河原さん」

声をかけても少年に視線を向けなかった。

「迷うことはないでしょう。あなたはもう長く生きられない運命なんだ」

「……」

「予言者として後世に伝えられるか、それともペテン師のまま終わるか、それはあなた次第ですよ」

「……」

「もし」

少年は語気を強めて言った。

「もしあなたが前者を選ぶというのであれば、私はあなたにもう少し時間を与えましょう」

その瞬間勅使河原の身体が強く反応し、興奮に満ちた眼で、少年を見た。

三月二十九日の朝、心美と宮田孝一は一緒に起床し、一緒に顔を洗い、一緒に歯を磨き、そして一緒に朝食を食べた。

いつもと変わらぬ朝が、ゆっくりと過ぎていく。二人の顔は、とても幸せそうだった。

朝食を終え、心美がキッチンで洗い物をしていると、玄関の方から宮田の声が聞こえてきた。

「じゃあそろそろ行ってくるよ」

心美はタオルで手を拭《ふ》いて、エプロン姿のまま玄関に向かった。

「行ってらっしゃい、気をつけてね」

宮田は笑顔で、

「ああ、行ってきます」

と言い、玄関扉の鍵《かぎ》を開けた。しかしすぐに、

「あ、そうだ」

と言って振り返った。

「どうしたの？」

心美が尋ねると、宮田は少し恥ずかしそうに、

「今日の晩ご飯、ハンバーグカレーがいいな」

年甲斐《としがい》もなく心美にそう言った。

心美はフフと笑い、小さく頷いた。

「じゃあ、行ってくるよ」

「行ってらっしゃい」

心美は笑顔で手を振る。宮田も軽く手を振った。それも、いつもと変わらぬ光景であった。

しかし、玄関扉が閉まった瞬間心美の顔から笑みが消えた。

宮田を送った後、いつもだったら洗濯や掃除をするのだが、心美は冷蔵庫から挽肉《ひきにく》と野菜とカレーの素を取りだし、夕食作りに取りかかった。

心美はこの日、宮田にリクエストされなくとも『ハンバーグカレー』を作るつもりだった。

それは無論、宮田の大好物だから……。

心美は黙々とハンバーグカレーを作る。そして出来上がると自分の部屋に向かい、クローゼットから旅行用の大きなバッグを取り、エプロンを脱いだ。

心美はまず右手にあるエプロンを丁寧にたたみ、それをバッグの中に入れた。そして、これまで宮田に買って貰《もら》った、お気に入りの洋服やアクセサリーを次々と詰めていった。

バッグがパンパンになるとファスナーを閉じ、自分の部屋から出て、リビングダイニングに向かった。

心美は電話棚の引き出しからボールペンと、昨日買ってきた便箋《びんせん》と封筒を手に取る。

そしてダイニングテーブルに向かい、宮田に向けて手紙を書いた。

『考えてみれば手紙を書くなんて初めてのことだから、どのように書くのが正しいのか分からないけれど、私なりに、今の私の気持ちを伝えます。

先生、こうして手紙を書いていると、初めて会った日のことを思い出します。

昔の私は、姿だけではなく心も子供で、お洒落《しゃれ》することばかり気にしている割には性格は強気で、乱暴で、思い返すと恥ずかしい気持ちになります。

きっと、先生と出会わなければ私は昔のままだったでしょうね。

こうして字を書いていると、それをつくづく思います。

今みたいに綺麗《きれい》な字を書けるようになったのは、先生のおかげです。料理や、洗濯や、掃除ができるようになったのも、全て先生のおかげです。

先生は昔言ってくれたように、私を本当の人間として見てくれて、そして先生が色々教えてくれたおかげで、私は大人の女性らしく成長することができました。

本当は、私の方が年上なのにね（笑）』

心美は薄く笑って、続けてペンを走らせる。

『思えば、先生と暮らし始めてからもう少しで十九年が経つんですね。

この十九年間本当にあっという間でした。それは毎日が楽しくて、幸せだったからです。

私はこの十九年間、私なりに頑張って先生を支えてきました。先生からすれば私はまだまだ未熟で至らない点が多々あったでしょうが、そんな私をいつも優しく見守ってくれて、ありがとう』

そこで心美の手が止まった。次に伝えたい言葉は浮かんでいるのに、それをどのように文章にしたらいいのかが分からない。

三十分後、やっと心美の手が動いた。

『先生、突然ですが、私の役目は今日で終わりです。

先生は私のことを本当の人間だと思って接してくれていますが、やはり私は人間ではないのです。

今更かもしれないけれど、やはり先生は人間ではない私と一緒にいたらいけないのだと思います。

なぜなら、私といたら本当に幸せな家庭を築けないからです。

先生は昔よく私に、人間らしく、人間らしく、と言いましたが、先生こそ人間らしい普通の日々を送らなければならないのです。

私は先生のことが世界一大好きです。だからこそ、そう思うのです。

これからは、西城美幸さんと幸せに暮らしてください。あの人はとても優しいし、よく気が付くし、先生のことが私以上に大好きです。あの人となら、きっと幸せな家庭を築けると思います。

早く捕まえないと、気が変わっちゃいますよ(笑)。女性の気持ちは変わりやすいですからね。

私は今日家を出ますが、心配しないでください。先生のことだからきっと私を捜すでしょうが、捜さないでください。私はどこか、遠くへ行きます。

先生、今まで本当にありがとう。

最後だから言うけれど、先生と出会ってから一番嬉《うれ》しかったのは、私に心美という名前をつけてくれた時だよ。

心美という名前、一生大事にします。ありがとう。

最後に先生、もう一度言います。私のことは心配しないでください。

私は本当に大丈夫。だから私のことは気にしないで、美幸さんと幸せに暮らしてください』

これが、心美が考えた末の結論であった。

宮田と別れるのは辛《つら》いが、心の底から宮田の幸せを願っている。

「あ、そうだ」

心美はあることに気づき、便箋の下にこう書いた。

『追伸、今朝言っていたハンバーグカレー作っておきました。温めて食べてください』

手紙を書き終えた心美は便箋を封筒に入れ、そっとダイニングテーブルに置いた。

「先生、さようなら」

宮田に別れを告げた心美は床に置いてあるバッグを手に取り玄関に向かう。その短い間に、宮田と暮らした十九年間が一気に蘇《よみがえ》った。

悲しいのに、辛いのに、人間みたいに涙は出ない。

心美は玄関扉を開けると、最後にもう一度部屋を振り返った。しかし未練を断ち切るようにすぐに向き直り部屋を出て、鍵を閉めた。

エレベーターに乗り、一階に降りる。そして集合ポストに鍵を入れた。

心美はもう一度、

「さようなら」

と言って正面玄関に歩を進める。しかしすぐに返し忘れた物がもう一つあることに気づき、集合ポストに戻った。

心美は、宮田が契約している携帯電話をバッグの中から取り出すと、

「ありがとう」

と言って、ポストの中に入れたのだった……。

その頃直弥は、縁側でぼんやりと外を眺める母の姿を、複雑な想いで見つめていた。

母の認知症が進んでいると認識してから半年近くが経つが、このたった半年で、母はまるで人が変わったみたいになってしまった。

昔のような活気はなくなり、その他の感情も、全て失ってしまったみたいだ。

最近では、何が見えているのか分からないが、縁側でぼんやりと外を眺めながら一人で何かを喋《しゃべ》る毎日である。

実は今も、耳を澄ますと微《かす》かに母の声が聞こえてくる。

「つい先日、明子《あきこ》さんが癌で亡くなったんですよ。膵臓癌《すいぞう》だったみたいでね。まだ四十ですよ。お子さん小さいのに、気の毒ですよ」

最初のうちは、一人勝手に昔話を始める母に強いショックを受けていたが、今では

もう慣れた。むしろ、じっとしてくれていて安心、という想いの方が強い。

母は足が悪いが、それすらも忘れているようで、たまに、シロの散歩に行くと言ったり、買い物に出掛ける、と言ったりするのだ。

直弥は、この調子だといつか一人勝手に家を出て、怪我をしたり、トラブルに巻き込まれるのではないかと心配している。それ故、一瞬たりとも目が離せないのだ。

勿論《もちろん》、これまでに何度か病院にも連れて行っている。しかし、認知症を治す術《すべ》はないらしい。

とはいえ絶望ばかりではない。

救いなのは、他には重い病気もせず健康でいてくれていることと、まだ自分のことを忘れていないということである。

話しかけてもなかなか会話はかみ合わないが、辛うじて『直弥』と呼んでくれているのだ。

しかし、正直それもいつまでか分からない。明日になったら、自分のことを忘れてしまっているかもしれないのだ。

母の脳の中までは分からないが、母は一日ごとに何か一つ、記憶を失っている気がする。

無論その時が来ても母であることに変わりはないが……。

今この時間を大事にしよう、と直弥は思う。

直弥は優しい声で、

「お母さん」

と声をかけた。しかし母は外をぼんやりと見つめたままである。それでも直弥は笑顔で母の隣に座り、母の横顔を眺める。

すると、ふとこんな想いを抱いた。

今のうちに、たくさん想い出を作りたい、と……。

こうして家で一緒にいる時間も大切な想い出になるが、そうではなく、もっと特別な時間を作りたい、と直弥は思う。

しかし母は足が悪い。それ故遠くには出掛けられない。

直弥は、すぐにある場所を思いついた。

そうだ、まずは五十年ぶりに『再会』した、『時計台』に行こう。

直弥は早速、

「ねえお母さん、明日一緒に桜木町の時計台に行こう！」

心を弾ませて言った。すると母は珍しく直弥の方を向いた。しかしこう言ったのだ。

「そろそろシロの散歩に行かないとねえ」

直弥は笑顔で、

「そうだね、行こうね」

と返した後、もう一度言った。

「明日、僕とお母さんが『再会』した時計台に行こう」

するとようやく、

「時計台？」

会話が通じたのである。

「そう、時計台」

「どこの、時計台かねえ？」

「桜木町の時計台！　憶《おぼ》えているでしょ？」

直弥は母が忘れていないことを祈ったが、母は暗い表情で首を振ったのだ。

直弥は悲しい想いと寂しい想いを同時に抱くが、決して笑顔を絶やさなかった。

時計台に行けばきっと思いだしてくれる、と希望を抱き、

「お母さん、明日時計台に行こうね」

三度そう言ったのだった。

その頃テクも直弥と同様寂しい想いを抱いていた。しかし直弥とは意味合いが違う。

テクには、強い孤独感があった。

木村が死んだあの日から早六日、テクは時計台の下で玖美からの連絡を待っているが、未《いま》だ玖美から連絡はない。

テクは、自分に対する玖美の感情が一時的なものであってほしいと願っていたが、一週間近くも連絡がないとなると、そうではないらしい。

どこかで覚悟はしていたが、どうやら玖美は自分と縁を切ったようだ。

辛うじて、携帯電話はまだ解約されておらず、そういう意味ではまだ玖美と繫《つな》がってはいるが、今日中には使えなくなるかもしれない……。

そんなことを考えていると、後ろから声をかけられた。

「もしかして、テクちゃんじゃない？」

とても懐かしい声だった。

振り返るとそこには、心美の姿があった。

「やっぱりそうだった！　久しぶりね！　十七、八年ぶりになるかしら！」

心美とテクは久々の再会に喜びを感じるが、すぐにテクは違和感を抱いた。

なぜなら、心美が大きなバッグを抱えているからだ。

「元気そうね」

テクはああと頷《うなず》いた。

「でも不思議ね」

心美が沁々《しみじみ》と言った。

「最後に会ってから十五年以上が経ったっていうのに、全然そんな気がしない」

テクも同じことを思った。それは、何年経っても自分たちの姿が変わらないからである。

しかし自分たちを取り巻く環境は変わった、とテクは心の中で言った。恐らく、心美もそうなのだろう。

「ところで心美、そんな大きなバッグ抱えて一体どうしたというんだ？」

テクがそう聞くと心美は薄く笑い、ゆっくりと口を開いた。

心美から全ての事情を聞いたテクは、自分と心美を重ねていた。

「そうだったんだ」

心美は寂しそうに頷く。しかしすぐに自嘲《じちょう》気味に笑い、

「でも結局気づいたら、ここに来てた」

と言った。

自分もそうだというようにテクも頷く。

「ところで」

心美が言った。

「テクちゃん、あなたはどうしてここに？」

テクも心美に、時計台に来た理由を全て話した。

心美は大きな息を吐き、

「そうだったのね」

気の毒そうに言った。

「でもどうして、彼の寿命が縮まったのかしら」

テクは首を横に振り、

「本当の理由は分からないけれど、俺は力を失ったのだと思う。つまり、今この眼に見えている人間の寿命全てが、正確ではないんだ」

自分を責めるように言った。

「君は、どう思う？」

心美に尋ねると、

「私はそうじゃないと思うわ」

「どうして」

「何が起こったのか分からないけれど、それはないと思う。だから、自分を責めたりしたらいけないわ」

テクは俯《うつむ》き、

「そうかな」

と呟《つぶや》く。

「そうよ、だからほら笑って」

心美はテクを元気づける。

テクが無理に笑うと、心美もフフと笑った。

そんな心美を見て、テクは一つ思ったことがあった。

最初は、十五年以上経ってもお互い何も変わっていないと感じたが、心美は違う。

姿形は当然昔と同じ子供のままだが、話していると、昔にはなかった落ち着いた女性らしさを感じたのだ。

「それにしても、私たち本当に不思議ね」

心美が上品な口調で言った。

「何が？」

「だって、同じ時期に特別な人に出会い、また同じ時期に別れるだなんて」

心美はそう言った後すぐに訂正した。

「あ、テクちゃん、あなたは違うわね」

テクは薄く笑って、

「いや、俺もだよ」

と言った。

そんな弱気なテクに、心美がこう言った。

「彼女の今の気持ちも知らないで、勝手にそう決めつけたらいけないわ。きっと彼女、連絡しづらいだけよ。近いうちに必ず、連絡してくると思うわ」

テクは勇気づけてくれる心美に微笑むと、

「ありがとう」

と言った。だがその言葉とは裏腹に、心の中では、やはりいくら待っても連絡はこないだろうと諦《あきら》めており、そろそろ玖美への想いも断ち切ろうかと考えていたのである。

しかしそれから二十四時間が経った、三月三十日の午後三時三十分、テクの携帯電話が鳴ったのである。


携帯の液晶画面には、唯一登録している名前が表示されていた。

「玖美……」

テクの隣には依然心美の姿があり、心美はテクに、

「良かったわね」

優しく言った。

「ありがとう」

テクは心美にお礼を言って、

「もしもし」

電話に出た。

しかし、反応がない。

「玖美？」

名を呼ぶとようやく、
玖美の声が聞こえてきた。テクは一週間ぶりの玖美の声に安堵《あんど》し、

「テクちゃん」

「うん」

気持ちを込めて返事した。

「テクちゃん、ずっとごめんね」

玖美の『ごめん』には、色々な意味が含まれているのを知った。

「ううん、大丈夫だよ。玖美の方は、大丈夫？」

「私は大丈夫。ただ」

テクはこの時、一抹の不安をおぼえた。

「ただ？」

しかし玖美はこの場では答えず、

「テクちゃん、今どこにいるの？」

テクは隣にいる心美を一瞥《いちべつ》し、

「今、桜木町の時計台にいる」

「やっぱりそうだったのね。実は今向かってる」

「今？」

「テクちゃんに直接会って、話したいことがあるの」

テクには全く見当がつかないが、漠然と嫌な予感を抱いた。

「分かった、じゃあ待ってる……」

それから僅《わず》か十五分後、テクの左隣に誰かがそっと腰掛けた。

何も言わずに座るものだから、テクは気づくのが少し遅れた。

「玖美」

そこで初めて心美は、テクの左隣に座った女性が玖美であることを知った。

心美とは初対面ではないが、初めて会ったのは玖美がまだ子供の時だ。

実は心美は、玖美がテクの隣に座る前から存在には気づいていたが、その時はまだ玖美だと分からなかったのだ。

「お久しぶりね、玖美さん」

心美が声をかけると、今度は玖美がハッとした。

「ああ、あなたは……」

「フフ、昔は名前がなかったからね。今は心美と言います」

「心美、さん」

心美は玖美を見つめ、

「当たり前だけど、大人になったのね」

沁々《しみじみ》と言った。

昔を懐かしむ心美だがすぐにハッとして、テクにこう言った。

「私はその辺りをブラブラしてくるわ。私のバッグ、見といてくれる?」

「うん、分かった。ありがとう心美」

「いいわ。じゃあまた後で」

心美は二人に手を振りながら、駅の方に歩いて行く。

心美の姿が見えなくなったところで、テクは改めて玖美を見た。

この一週間で、玖美は少し痩《や》せたようだった。

「玖美、痩せたね。気持ちの方は、落ち着いた?」

玖美は首を横に振り、

「正直まだ、信じられない」

力のない声で言った。

「そうだね。俺も信じられない」

そこで一旦《いったん》会話が途切れるが、テクは元気のない玖美にどんな言葉をかけてやったらいいのか分からなかった。

すると、

「ごめん」

玖美が突然言った。

「え？」

「私テクちゃんに、酷《ひど》いこと言った」

「いいんだ、気にしていないから」

「テクちゃんが嘘をつく訳がないよね。なのに私」

「本当にもう気にしてないから」

テクがそう言葉をかけると玖美は顔を上げ、

「ありがとう、テクちゃん」

と言った。テクは玖美に優しい笑みを見せ、大丈夫というように頷《うなず》いた。

「でも、どうして彼は突然……」

テクは、分からないというように首を振った。

「こんなこと、初めてなんだ。確かに彼は、まだ五十年以上生きる運命だったのに……」

テクは玖美に、今自分が考えている悩みとも言える仮説を話そうかと思った。しかし徒《いたずら》に心配させるだけではないかと思いとどまり、

「そうだ。ところで玖美、直接伝えたいことって、何？」

恐る恐る聞いた。

玖美はテクを一瞥し、

「実はね、テクちゃん」

緊張した面持ちで、そう言った。

「うん、どうしたの」

もう一度聞くと、玖美は長い間を置き、こう言ったのである。

「お腹の中にね、彼の赤ちゃんがいることが分かったの」

考えてもいない玖美の言葉にびっくりしたテクだったが、

「それ、本当なの？」

玖美はテクを見つめ、頷いた。

「もう、三ヶ月だって」

本当なら、喜ぶべきことである。

しかし、お腹にいる赤ん坊の父親はもういないのだ。

テクは素直に喜んで良いのか分からなかった。

「それで、どうするの？」

「どうするって？」

「いや、その、だから」

どう伝えようか迷っていると、玖美は力強くこう言った。

「産みたい」

玖美の意思を知ったテクは、そこでようやく笑みを浮かべた。

「そう」

「お腹の子のことだけを考えると、父親のいないこの子には寂しい想いをさせてしまうかもしれない。でも私、どうしても産みたいの。最後に彼が残してくれたこの子を、堕《お》ろすことなんてできない」

玖美は続けた。

「確かに色々な面で苦労すると思う。でも私絶対、この子を幸せにしてみせる」

テクには玖美の将来までは見えない。見えるのは残り時間だけだ。

だがそれでもテクには分かる。

玖美ならきっと、一人でも立派に子供を育てられると思う。

「うん」

「テクちゃん、応援してくれるよね？」

テクはこの時穏やかな表情で話を聞いていたが、応援する、とは言わなかった。

「玖美なら絶対大丈夫。木村さんも、見守ってくれているから」

その後も二人は子供のことについて色々と語ったが、ふと、会話が途切れた。

それから長い長い沈黙が続き、時計台の針がちょうど午後五時を差した時、玖美が徐《おもむろ》に口を開いた。

「ねえテクちゃん、一緒に帰ろう。また一緒に生活しよ」

テクは顔を上げたが、玖美を見ることはしなかった。

玖美が一人なら、きっと素直に首を縦に振っていただろう。

しかし玖美のお腹の中には新しい命が存在し、玖美はこれから新たな家庭を築くのだ。

前々から思っていたが、やはり子供ができたのを機に、別れた方がいいのではないかと考えている。

それは無論、自分が人間ではないからだ。

玖美は生まれてくる子供のために、『ごく普通の生活』に戻る必要があるのではないかと思うのだ。

「どうしたのテクちゃん」

テクは玖美を一瞥《いちべつ》するが、黙ったままである。

「ねえテクちゃん、答えてよ」

テクは頷くが、どうしても最初の言葉が出てこない。

なかなか胸の内を伝えることができずにいると、テクの瞳《ひとみ》に心美の姿が映った。

心美が戻ってきたのを知ったテクは一先《ひとま》ず安堵《あんど》する。

その矢先であった。

「心美！」

「心美ちゃん！」

二人の男女が心美に向かって叫んだ。

テクはすぐにその二人が宮田孝一と西城美幸であることを知った。

心美は二人を見るが、すぐに視線をそらした。

「遠くに行くなんて書いてあったから、思い当たる場所を色々捜したんだ！　結局はここにいたんだな。良かった」

心美は下を向いたまま何も返さない。

「心配したよ心美」

「心美ちゃん」

西城も心美に声をかける。

それでも心美は顔を上げることはせず、俯《うつむ》いたままテクの元にやってきた。そしてテクの隣に置いてあるバッグを手に取ったのだ。

「話さなくて、いいのかい？」

テクが声をかけると心美は頷き、テクにこう告げた。

「私行くね。また、いつか」

心美は宮田と西城に背を向け歩き出す。

「心美、待ってくれ！」

すぐさま宮田が呼び止める。

その直後だった。

「テクちゃん！　心美ちゃん！」

テクは咄嗟《とっさ》に振り向く。心美も同様に足を止めて振り返った。

二人の視線の先には、直弥の姿があった。直弥の後ろには小さな老婆がおり、テクはすぐにその老婆が直弥が昔話した『母親』であることを知った。

テクはベンチから立ち上がって直弥の元に駆け寄る。

「久しぶりだね。まさか君にも会えるなんて思ってもいなかった。嬉《うれ》しいよ」

感情を込めて言った。

直弥はテクの手を取り、

「本当に！　実はもういなくなってしまったんじゃないかって心配してたんだ。また会えてよかった！」

目を輝かせて言った。

そしてそう告げる直弥の瞳は、有り得ないことであるが潤んでいるように見えた。

少し遅れて心美も二人の元に歩み寄り、

「元気そうね」

直弥に言った。

「うん！」

「私たちは何度も会っているけど、それでもかなり久しぶりよね」

「そうだね」

直弥はそう返した後、テクと心美を交互に見つめ、

「三人で会えるなんて、今日は本当に特別な日だ！」

と言った。

テクはベンチに座る玖美を見つめ、

「特別な日か」

と呟《つぶや》いた。

「どうしたの？　テクちゃん」

直弥に声をかけられ、テクは首を横に振る。

「いや、何でもない。それより」

テクは直弥の後ろにいる老婆をちらりと見て、

「お母さんだろ？」

と尋ねた。直弥は母を振り返り、

「そう、僕のお母さん。紹介できて嬉しいよ」

テクは直弥の母に挨拶《あいさつ》した。

「こんにちは」

直弥の母はテクを見る。しかしすぐにどこか遠くの方に視線をやり、ぼんやりとした表情で何かを喋《しゃべ》り始めた。

直弥は慌てて、

「見ての通り、耳が遠くなっちゃってさ」

と言った。

「そっか」

テクは納得したようにそう言ったが、耳が遠いだけでないことは容易に分かった。

直弥は一見何の悩みもなさそうであるが、彼もまた色々な事情を抱えているんだなとテクは思った。

するとは今度は直弥の方が、

「それより心美ちゃん、あそこにいるの、先生じゃない？　先生の後ろにいるのは誰？」

何も知らずにそう言った。

テクは咄嗟に直弥に目配《めくば》せし、それに気づいた直弥は、ようやく心美と宮田と西城の間に流れる気まずい空気を感じ取った。

「ああ、えっと、そういえば……」

新たな話題を探す直弥であるが、その時、直弥の瞳が玖美の姿をとらえた。

「ねえテクちゃん、あの人ってもしかして」

テクは玖美を一瞥し、

「うん、玖美だよ」

と言った。

「だよね！　そうだと思った！　やっぱり今日は特別な日だ！」

直弥はそう言って、

「玖美ちゃん！　僕だよ！」

手を振りながら玖美の方に走っていく。

しかし、その直後であった。

突然直弥の足が止まった。

直弥の後ろ姿しか見えていないテクでも分かるくらい、直弥が急に怯《おび》え出したのだ。

「何で！　一体どうなってるんだよ！」

直弥が玖美を見つめながら叫んだ。

テクはハッと玖美を見る。

同時に玖美も、テクを見た。

「玖美……どうして」

目の前が、真っ暗になった。

今までずっと規則正しく減っていたはずの玖美の『残り時間』が、とてつもない速さで減っているのである。

いや、気づけば玖美だけではなかった。

時計台の周りにいる人たちや、桜木町駅にいる大勢の人々の『残り時間』も急激に減っているのだ。

しかしよく見れば、そうでない者もいる……。

テクと同じことに気づいた心美は、ハッと宮田と西城を見た。

その瞬間、想い出の品がたくさん詰まった大切なバッグが、地面に落ちた。

玖美と同様、宮田と西城の『残り時間』も恐ろしい速さで減っているのだ。

直弥も、まさかと母を振り返る。

「お母さん……」

直弥の母も同じであった。玖美たちよりも速度は遅いが、どんどん時間が減っている……。

三人はそれぞれ、急激に時間が減っていく大切な人の元に急いで向かう。

「どうしたらいい、どうしたら！」

テクが走りながら叫んだ、その時だった。

よこはまコスモワールドの方から、大きな爆発音が響いたのである。

・

桜木町駅周辺にいる全ての人間がびくりと足を止め、一キロメートル程先にあるよこはまコスモワールドを見た。

テク、心美、直弥の三人も同時に立ち止まり、振り返る。

瞳《ひとみ》に映るその光景に、テクは言葉を失った。

観覧車のいくつかのゴンドラが爆発し、炎があがっているのだ。

現実とは思えぬその光景に茫然《ぼうぜん》と立ち尽くすテクであるが、玖美の『残り時間』が急激に減っていることを思いだし、急いで玖美の元に走る。

恐らく遊園地だけではない。

桜木町駅周辺でも、きっと『何か』が起こる。

だから、大勢の人の『残り時間』が急激に減っているのだ。

テクは、ベンチの傍で立ち尽くす玖美の手を取り、

「玖美、逃げよう！」

今のテクには、この場から逃げることしか思いつかなかったのだ。

しかしその刹那《せつな》、今度は前方に聳《そび》え立つランドマークタワーの高層部が爆発したのである。

爆発した階の窓ガラスは全て割れ、一部から炎が上がっている。

テクはこの瞬間確信した。こんな短時間に同時に爆発が起こるなんて、これは事故ではない。テロだと。

「テクちゃん……テクちゃん」

テクは、恐怖に戦《おのの》く玖美の右手を更に力強く握り、思い切り叫んだ。

「しっかりしろ玖美！　逃げるんだ！」

玖美は何とか頷《うなず》き、テクとともに走り出す。

しかし、遅かった。

地響きがするほどの爆発が、桜木町駅の方から起きたのである。

爆発したのは、高架線を走っていた電車であった。ホームに入る手前で全車両から爆発が起こり、前の三車両がガードを突き破って地面に転げ落ち、逃げ遅れた多くの人々が下敷きになった。

テクは一瞬足が竦《すく》んだが、玖美の右手を思い切り引っ張った。

だが次の瞬間、今度は周辺に建ついくつものビルやショッピングモールから爆発が起こり、爆風により一斉に割れた窓ガラスが雨のように降ってきた。

テクは咄嗟《とっさ》に玖美を屈《かが》ませ、玖美を守るように覆い被《かぶ》さった。

無数のガラスがテクに突き刺さる。

血は流れないが、髪や皮膚がボロボロと落ちていく。

ガラスの雨が降り止んだ時、テクの周りには多くの人が血を流して倒れており、テク自身痛みはないが、気づけば右腕の半分が削《そ》げ落ちていた。

玖美はそっと立ち上がり、右手を無くしたテクを見ると悲痛の声で叫んだ。

「テクちゃん……！」

「俺は大丈夫。逃げよう」

「でも……」

テクは、未《いま》だ恐ろしいほどの速さで時間が減っている玖美に怒声をぶつけた。

「泣いてる場合か！　時間が減っているんだぞ！」

「時間？」

「なぜか分からない！　でもとにかく俺の眼に映る玖美の残り時間が減っているんだ！」

テクは、愕然《がくぜん》とする玖美の右手を左手で掴《つか》み走り出す。

群衆の悲鳴、怒号、泣き声が交錯する中、どこからともなく叫び声が聞こえてきた。

「突っ込んでくるぞ！」

走りながらテクは振り返る。

この時、ようやくテクは自分たちが絶体絶命の危機に立たされていることを知った。

炎をあげた路線バスが、車体を斜めに傾けながら突っ込んできていたのだ。

いつ爆発したのか定かではないが、炎を上げたバスには運転手が乗っており、必死にバスを止めようとしている。しかし、ハンドルもブレーキも利かないようであった。

最悪なのは、斜めに走るバスの車体が玖美の方向に向いていたことであった。

もう、二人一緒に逃げられる時間はなく、テクは玖美の前に立つと、左腕一本で玖美の身体を反対側に強く押したのである。

だが、間に合わなかった。

テクが撥《は》ね飛ばされたと同時に、玖美の右腕も車体に当たり、玖美の身体は激しく地面に叩《たた》きつけられた。

テクはその一瞬をとらえていたが、撥ね飛ばされた瞬間玖美を見失ってしまった。

数秒間宙を舞い、地面に落ちたテクはすぐさま立ち上がり、玖美の姿を捜す。

だが、玖美の姿がない。

すぐに見つけられないほど、辺りは地獄と化していた。

爆発が起きたビルやショッピングモールからは炎が上がっており、駅周辺は、逃げ惑う人々であふれかえっている。

高架線の下には三両の電車が横になって倒れており、更にもう一両が、今にも高架線から落ちそうな状態である。

テクを撥ね飛ばしたバスは遠くの壁に激突しており、黒い煙を上げている。中には乗客がいるようだが、外に出てくる者はいない……。

そんな中、時計台だけが何事もなかったかのように時を刻んでいた。

時間を戻してくれ。

テクは心の中でそう叫んだ。

「玖美、返事してくれ玖美！」

テクは必死に玖美を呼ぶ。

だが、いくら呼んでも玖美の声は聞こえてこない。聞こえてくるのは人々の叫びと、苦しむ声であった……。

大勢の人々が逃げ惑う中、時計台の傍で、意識を失っている母を抱きかかえていた直弥は、微《かす》かにテクの声を聞いた。

テクの姿はここからは見えないが、玖美を捜しているようだった。

直弥はとても心配であるが、正直、今はテクと一緒に玖美を捜している余裕はなかった。

母のことで精一杯だった。

ガラスの雨が降ってきた時、直弥は咄嗟《とっさ》に母の上にかぶさったのだが、自分の小さな身体ではかばいきれず、ガラスが降り止み、母の顔を見たが、母は意識を失ってしまっていた。

直弥は、出血とともにみるみる血色を失う母を強く抱きしめる。

「どうしてこんなことに……」

直弥は、突然母たちの運命が変わった瞬間を振り返る。しかしすぐに、そんなことはどうでもいい、と自分に向かって強く叫んだ。

玖美たちよりも残り時間が減る速度は遅いが、それでもいつもの何十倍もの速さで減っている。

正確には分からないが、このペースだと三十分もしないうちに『0』になってしまいそうだった。

「ごめんねお母さん。僕のせいだね。僕が今日ここに連れてこなければ……」

直弥はそう言って目を閉じる。

暗闇の中心に、『86400』の数字が見える。

日に換算すると、ちょうど十日だ。

これだけの時間があれば、母はここで死なずには済む。

だが直弥はこの時、強い後悔の念を抱いていた。

母と『再会』する前、直弥はテクたちとは違って、寿命が短い人間を見る度、不憫《ふびん》だからと時間を少しずつ与えてきた。

直弥は、初めて自分自身に憤りを抱いた。

どうして、見ず知らずの人間に大切な時間を与えたのだろう。

もっと時間を大切にしていれば母に三年近い時間を与えることができたのに……。

「ごめんねお母さん。少ししか時間与えられなくて」

直弥は母の右手を取ると再び目を瞑《つぶ》り、『86399』秒を与えた。

一秒残したのは、自分自身が消えるのが怖いからではない。最後まで母と一緒にいられるように、である。

あと十日間とはいえ、ずっと一緒についていてあげないと、母は何もできないから……。

しかし時間を与えた直後だった。

思わぬ出来事が起きたのである。

直弥はてっきり、母はあと十日間しか生きられないものだと思い込んでいたが、時間を与えた瞬間母の頭上に浮かぶ『863999』という数字にまたしても不思議な変化が表れたのだ。

『863999』秒から時間が減っていくのではなく、先ほど急激に失った時間を取り戻すように、どんどん数字が増えていったのである。

何が起きたのか理解できぬまま数字を見つめていると、『1734062255』秒で一旦《いったん》止まり、再び時間が減りだした。

しかし先《さっき》までの異常な減り方ではない。時計台の針に合わせて、一秒、また一秒と規則正しく減っている。

すぐに寿命を計算した直弥は、母が元の、百歳まで生きられる運命に戻ったことを知った。

どうやら時間を与えここで助かる運命に変えたことで、元の運命に戻ったようである。

それを知った瞬間直弥は全ての力を失い、安堵《あんど》の息を吐いた。

「良かった。本当に良かった」

それから間もなく、遠くの方から緊急車両のサイレンが聞こえてきた。

「お母さん、もう少しで病院に連れて行ってもらえるからね」

母は意識を失ったままだが、直弥はもう一度安堵の息を吐く。

その瞬間、再び緊張が張り詰めた。

安心するにはまだ早い。

テクは玖美を捜していたようだが、果たして間に合っただろうか？

心美も、宮田を助けることができただろうか？

もしまだなら、助けに行かなければならない。

そう思った、その時だった。

直弥は、一人の少女の存在に気がついた。

その少女は直弥よりもずっと幼いのだが、親とはぐれてしまったのか、一人で泣いているのだ。

そして少女の頭上には、爆発で脱線した車両があり、辛うじてまだ高架線に引っかかってはいるが、今にも地面に落ちそうな不気味な動きを見せている。

直弥に迷いはなかった。

そっと母を地面に寝かせると、

「お母さん、すぐに戻ってくるからね」

と言って、少女の元に急いだ。

直弥は走りながら心の中で叫ぶ。

大丈夫、今助けてあげるから。

直弥は逃げ惑う人々をかき分け、少女の元に辿《たど》り着く。そして、泣き叫ぶ少女の右手を摑《つか》んだ。

その瞬間少女は泣き止み、直弥を見上げる。

直弥は少女に優しく頷《うなず》いた。

「行こう」

しかしその時だ。

周囲から悲鳴が上がり、直弥が見上げた時にはもう、高架線から車両が落ちてきていた。

直弥は少女を助けるため、咄嗟《とっさ》に少女の背中を押す。

その時直弥は初めて少女の『残り時間』を見た。

あまりに一瞬の出来事だったのではっきりと数字は見えなかったが、一つだけ確かなことがある。

それは、少女の『残り時間』が規則正しく減っていたことである。

それに気づいた直弥は合点した。

そうか、僕がこの少女を助けることは決まっていて、だから少女の『残り時間』は規則正しく減っていたんだ……。

直弥は最期、母を想う。

だがさよならすら伝えることができず、直弥の身体はアルミ缶を潰《つぶ》したみたいにぐしゃりと潰れ、その瞬間、直弥の意識はプツリと途絶えた……。


直弥の魂が消えたその頃、身体の自由を奪われていた心美は必死に足掻《あが》いていた。

心美の下半身は今、高架線から落ちてきた電車の下敷きとなってしまっているのだ。

ランドマークタワーの高層階から爆発が起こった直後、心美もテクと同様、とにかく宮田と西城をどこか遠くに逃がそうと考え、二人の手を取って駅の方に向かって逃げたのである。

しかしその直後、高架線を走る電車が爆発し、一瞬立ち止まってしまった心美は、ガードを突き破って落ちてきた車両の下敷きとなってしまったのだ……。

心美の周りには多くの人間が倒れており、その半数近くが死んでいるようだ。

血の臭いと、ゴムが焦げたような異臭が漂う中、心美は上半身を捻《ひね》り、別の車両のすぐ傍で頭から血を流して倒れている宮田と西城を見た。

二人も、襲いかかるようにして落ちてきた車両から逃げることができなかったのである。

自分のせいだ、と心美は心の中で言った。

あの時一瞬立ち止まったせいで、二人も……。

唯一の救いは、二人とも下敷きにはなっていないことであった。

もし下敷きになってしまっていたら、とっくに死んでいただろう。

「先生、美幸さん……」

心美と二人の距離は、僅《わず》か十メートル。

心美は疾《と》うから二人を見つけているのに、助けることのできない状況に焦りと強い憤りを抱く。

二人ともまだ辛うじて生きてはいるが、もう時間がない。こうしている間にも、目にも止まらぬ速さで数字が減っている……。

いよいよ追い詰められた心美は強く目を閉じた。

どんなに近くても、身体に触れなければ時間を与えることができないことは承知しているが、それでもこの場所から念じてみたのだ。

だが、やはり無理であった。期待を抱き目を開けたが、二人の数字に変化はない……。

心美はもう一度、どうにか車両から抜け出ようと必死に足掻く。

足掻きながら心美は、どうしてあの時駅に向かって逃げたのだろうかと後悔した。

しかし思えば、駅の方に向かって逃げるのも最初から決まっていた『運命』なのだろう。

心美は二つの拳《こぶし》を思い切り地面に叩《たた》きつけた。

「どうすればいいのよ!」

車両が重すぎて、どうにもならない。

「先生……」

一瞬諦《あきら》めた、その時だった。

心美は自分のすぐ傍に、包丁くらいの大きさのガラスが落ちていることに気づき、手に取った。

迷ってはいられなかった。

心美はガラスの破片を自分の右太ももに突き刺し、力一杯切っていく。

切断面からは無論血は出ず、まるで魚肉ソーセージを切っているみたいであった。

右の太ももを切断した心美は、次に左の太ももを切断し、腕の力で起き上がる。

両足を犠牲にし、ようやく自由に動けるようになった心美は、腕を足にして宮田と西城の元に向かう。

だがすぐにバランスを崩し、転んでしまう。

「先生……」

十メートル先にいる宮田と西城が、もの凄《すご》く遠い。

心美はもう一度起き上がり、一歩、また一歩とゆっくり二人の元に向かう。

宮田と西城の元に辿り着いた時、二人の『残り時間』は10000秒を切っており、この様子だと五分足らずで『0』になってしまいそうであった。

心美は意識を失っている宮田に、

「お待たせ、先生」

と声をかけ、早速宮田の右手を手に取った。心美はそっと目を瞑《つぶ》り、宮田に半分の『50000000』秒を与える。

これで宮田はここで死なずに済み、更に約一年半生きられる。

だが心美の表情は晴れなかった。

「ごめんね先生、本当はもっと時間をあげたいけれど、これが限界なの」

宮田一人ならば、自分の持つ全ての時間を与えていたが、隣には西城がいる……。

心美は、同じく頭から血を流して倒れている西城を見つめながら思う。

もし彼女が現れていなければ、私は先生と別れることはなかったし、きっと今日だって、こんな事件に巻き込まれることもなかった。

それでも彼女を恨む心はなく、彼女を助けたい。

それは、彼女が心の底から先生を愛しているから。

いや先生だけじゃない。こんな自分にも、彼女は優しくしてくれた……。

心美は西城の手を取ると、再び目を閉じる。

その時ふと心美は、直弥と同じように一秒だけ残して生き続けようかと考えた。

しかし心美は、『5000000』秒を西城に与えたのである。

生き続けることが自分の『使命』ではないし、何よりこんな身体で生き続けるのは、無理があるから……。

これで二人とも、短い時間だけれど一緒にいられる、と心美は安堵《あんど》する。

心美が平等に時間を与えたのは、どちらかが先に死ぬことになって二人がお互い悲しまないように、であった。

西城に時間を与えた心美はそっと目を開け、二人を見つめる。

心美はそこで、宮田と西城の頭上に浮かぶ数字に変化が表れていることを知った。

「時間が、どんどん増えていく……」

二人に与えた時間は一年半ずつだと思っていた心美は一瞬混乱するが、すぐに直弥と同じ考えに至った。

「元の運命に、戻ったのね……」

それを知った心美は胸を撫《な》で下ろし、

「よかったね先生、良かったね美幸さん」

と声をかけた。

しかし次の瞬間、心美は自分の身体が消え始めていることに気がついた。

心美は寂しい笑みを浮かべ、

「そっか、もう時間切れだね」

と呟《つぶや》き、宮田を見つめた。

「先生、もうサヨナラだ」

心美は一拍置いて、続けた。

「ずっと黙っていてごめんなさい。実は私は、どこから来たのか自分でも分からないけれど、人間に時間を与えられる『使者』で、時間を全て与えたら消えてしまう運命なの」

段々、声も小さくなっていく。

心美は微笑み、声色を変えて言った。

「先生、本当は凄く寂しいけれど、こうして直接言えてよかった」

心美の頭に、宮田と過ごした時間が走馬灯のように蘇《よみがえ》る。

「先生と初めて会ったのは、私が車に轢《ひ》かれた時だったよね。それからすぐ、時計台の下で再会したのよね」

心美はそう言った後、『時計台』を振り返った。

せめて一時間前に戻ることができたら、と思う。

「こんなことになるのなら、最後にもっと話しておけばよかった……」

心美は後悔の念を抱くが、最後は明るくサヨナラしようと自分に言った。

「先生、最後に恩返しができて良かった。これから二人で仲良く、幸せな家庭を築いてね」心美は宮田にそう告げた後西城を見つめ、

「先生のこと、お願いします」

バランスの悪い身体で、小さく頭を下げたのだった。

心美は最後の最後、宮田の右手を手に取り、そっと自分の胸に当てた。

先生、一瞬でもいいから目を開けて。

心美がそう念じたその時だった。

宮田の目が、うっすらと開いたのである。

しかしその時にはもう、心美の姿は消えていた……。

爆発事件が起きたよこはまコスモワールド、ランドマークタワー、そしてテクたちのいる桜木町駅では多くの消防隊員による消火活動、及び人命救助が行われ、本来の『寿命』を取り戻すことができた直弥の母や、宮田孝一、それに西城美幸も病院に運ばれていく。

そんな中、ようやくテクも玖美の姿を見つけることができた。

玖美は多くの死体に紛れるようにして倒れており、テクは左腕一本で玖美を抱きかかえる。

玖美に意識はなく、血まみれだった。

全身には無数の傷を負っており、特に、喉《のど》からの出血が酷《ひど》い。

喉仏のあたりに、ガラスの破片が突き刺さっているのだ。

バスに撥《は》ね飛ばされ、地面に叩きつけられたとき突き刺さったに違いなかった。

恐らくはこれが致命傷だった。

玖美の頭上に浮かぶ数字はまだ『３００００』秒以上あるが、瞬く間に１００秒、２００秒と減っていく。

このままでは、五分もしないうちに『0』になってしまいそうであった。

テクは玖美を助けてやりたいという想いとは裏腹に、もう何も思いつかない。

神様ではない単なる『使者』である自分がいくらもがいたところで無駄であることを知り、同時に、テロの被害者となる『運命』を変えることができない自分に怒りが沸き立つ。

テクは玖美の喉に突き刺さったガラスの破片を抜いてやると、玖美の手をそっと握りしめる。

だがテクは目を閉じることはせず、玖美を抱きしめると、悔しさに震えながら言った。

「ごめん玖美。俺には玖美も、玖美のお腹にいる子も、助けてやれない……」

テクは目を閉じ、今度は心の中で言った。

俺にはもう、『7200』秒しか残っていないんだ……。

テクは心の底から思う。

どうしてもっと時間を残しておかなかったのだろうと。

もし一秒も使っていなければ、と後悔する。

いや、仮に三年の時間を与えることができていたとしても、お腹の子は助けることはできなかったんだ。

生まれてきたとしても、物心がついた頃には玖美はいないのだから……。

テクの悔しい想いは、段々と玖美の運命を狂わせた『神』への怒りに変わっていった。

神が運命を変えなければ、玖美は幸せな人生を送っていたのに……。

テクは左腕を振り上げる。しかし拳《こぶし》を地面に叩《たた》きつける寸前、テクは力を失い、ダラリと腕を落とした。

神を恨んでも、何も変わらない。結局自分たちは無力であり、この現実を受け入れるしかないのである……。

テクはもう一度玖美の右手を手に取り、そっと目を閉じる。

せめて、病院のベッドの上で死なせてやりたい……。

そう願いを込めて、テクは『7200』秒全てを玖美に与えたのである。

その時、玖美の『残り時間』はほぼ『0』に近い状態であり、ぎりぎりのところで『7200』まで復活した。

しかし、直弥の母や宮田たちとは違って、玖美の時間はそれ以上増えていくことはなかった。

三人が元の運命に戻ったことを知らないテクは、玖美に与えた『7200』秒が規則正しく減っていることに、ほんの僅《わず》かな救いを感じていた。

テクはそっと、玖美の頬に左手をあてる。

まだ、肌の感触がある。温かさも感じる。

だが、こうして玖美を感じていられるのもあと僅かであることを、テクは知っていた。

「ごめんな玖美。ずっとここにいてあげたいけれど、俺は少し先に行くよ。玖美、今まで本当にありがとう」

別れの言葉を伝えた、その時だった。

目の前にすっと影が差し込み、テクは顔を上げた。

テクの視線の先にいたのは、黒い髑髏《どくろ》のネックレスをした、使者であった……。

黒いネックレスの少年は、テクを見下ろして言った。

「君もここにいたとはな。しかしどうしたんだ、その右腕」

テクは一瞬少年を見上げたが、言葉を返すことなく玖美に視線を戻した。

すると少年が、興奮に満ちた声でこう言ったのである。

「大予言は的中した」

その瞬間、テクの動作が止まった。

大予言だと？

テクは少年を見た。

「君も勅使河原宝玉を知っているだろう？　君と再会したあの夜、勅使河原がテレビでこう予言したのさ。三月三十日の日曜日、横浜で大災害が起こると」

少年は鼻でフッと笑うと、こう続けた。

「インチキ予言者の言うことだ、皆勅使河原の予言を馬鹿にしていたが、何より滑稽《こっけい》だったのは、勅使河原は本来今日を迎える前に死ぬ運命だったことだよ」

少年は更に言葉を重ねた。

「そこで僕は考えた。勅使河原に時間を与えて、自らの手で予言を的中させようと！」

テクは一瞬目の前が真っ暗になった。

玖美の運命を変えたのは『神』ではなかった。

奴だったのだ！

「見ての通り、勅使河原は大予言者として人生を終える道を選んだ。どうせ死ぬ運命ならば、とな」

少年は変わり果てた街を振り返り、

「しかし想像以上だよ。こんなゾクゾクしたのは初めてだ。勅使河原に一ヶ月の時間を与えた甲斐《かい》があったよ。勅使河原には、半年の時間を与えると言ったんだがね、フフ……」

テクは激しい怒りに震える。殺意を抱いたのは、初めてのことだった。

気づいた時にはもう少年に飛びかかっていた。

だが殴る寸前、動作が止まった。

ふと、あることに気づいたからである。

それは、一人の運命を使者が変えることによって、別の人間の運命が変わる、ということであった。

それに気づいたテクは思う。

もしかしたら自分も、知らないうちに罪を犯していたのかもしれないと……。

これまでに多くの人間に時間を与えてきたが、そのせいで別の人間が時間を失った可能性もあるのだ。

自分たちは人間に時間を与えると同時に、人間の時間を奪っている……。

それを知ったテクは、ようやく木村の死についても合点した。

木村の車に追突した女性は、ある『使者』から時間を与えられたのだ。

本当なら、女性はもっと前に死んでいたのである。

「なんてことだ……」

テクはこの時ようやく、玖美のおばあちゃんの言葉の意味を知った。

『むやみやたらに運命を変えちゃいけないと、おばあちゃんは思うんだ』

力を失ったテクはその場に崩れ落ちた。

茫然《ぼうぜん》とするテクに、少年はこう言った。

「そこにいる女性、昔僕が会った子だろう？」

テクは、言葉を返す力もなかった。

「そんな落ち込むことはない。時間を与えればいいじゃないか」

少年は続けた。

「あの二人も、人間に時間を与えていたぞ」

テクはすぐに、心美と直弥であることを知った。

少年はフッと鼻で笑い、

「二人とも、消えたけどな」

と言った。

その事実を知ったテクの全身に衝撃が走った。

「そのかわり、死ぬはずだった者たちは助かった。彼らが時間を与えたことにより、本来の『運命』に戻ったようだ」

それを聞いたテクはハッと顔を上げた。

「本来の運命に、戻った？」

「ああ、僕も驚いたよ。彼らが時間を与えると、その者たちの数字がみるみる回復していき、元の数字に戻ったんだ。といっても、僕はその者たちの本来の運命を知らないがね。だが、そういうことだと思う。だから彼女もここで助かれば、元の『運命』に戻るはずさ」

テクは玖美を見つめながら首を振った。

「戻っていない。玖美は、時間を取り戻していない！」

『7200』秒では、足りないということか……。

テクが再び絶望した、その時だった。

「まさか」

少年が、テクを見ながら叫んだ。

テクはもしやと、自分自身の身体を見る。

やはりそうであった。身体が、消え始めている。

「そうか、君は一週間前、あと二時間しか与えることができないと言っていたな」

「……」

「君はすでに、その二時間を彼女に与えたのか……」

テクは力無く頷《うなず》いた。

少年は愕然《がくぜん》とし、

「分からないよ。僕には分からない。君たちはなぜ、自分を犠牲にしてまで人間に！」

テクは当たり前だというように、

「自分より大切な人だからだよ」

と言った。

「自分より、大切な人……」

テクは頷き、

「君は、今まで人間に名前をつけてもらったことはあるかい？」

そう尋ねると少年の動作が止まった。

「名前？」

「そうさ。俺は玖美に、初めて名前をつけてもらったんだ。テク、とね。その日のことは今でも忘れない。もっとも玖美を大切に思うのは、それが全てじゃないけどね」

少年は何も言わず、いや何も言えずといった様子で、ただテクを見つめているだけであった。

時間のないテクは、最後に玖美を見つめる。

これが本当に最後となる、別れの言葉を告げようと口を開いた。

しかしその時だった。

ふとあることに気づいたテクは、目の前にいる少年を見た。

そうだ、玖美を助けられる者が、ここにいるではないか！

テクは即座に立ち上がり、消えかかっている左腕で少年の身体を摑《つか》むと、必死の想いでこう叫んだ。

「玖美を助けてやってくれ！　君の時間を与えてやってくれ！」

テクの頼みに少年は面食らい、

「僕の時間だと？」

「そうだ頼む。君の力で、元の『運命』に戻してあげてくれ！　いや、玖美だけじゃない。玖美のお腹には今赤ん坊がいるんだ。二人を、助けてやってくれ！」

「赤ん坊だと？　とっくに死んでいるだろ」

「いや死んでいない！　絶対に死んでいない！　赤ん坊はまだ、生きている！」

少年は、地面に倒れている玖美に視線を向ける。

「頼んだぞ！　玖美を！」

少年は再びテクを見る。

しかしすでに服を摑まれている感覚はなく、テクの姿は消えていた……。

エピローグ

二〇一七年三月三十日。

あの日からちょうど五年の歳月が経ったこの日、いつもと同様朝七時に起床した宮田孝一は一人で顔を洗い、歯を磨き、そして、リビングダイニングに向かった。

キッチンにはエプロン姿の美幸がおり、朝ご飯の支度をしている。今では当たり前の光景であった。

「おはよう」

声をかけると美幸は振り返り、

「おはよう」

笑顔で言った。

「もう少しでご飯できますからね」

宮田は返事をして、ダイニングテーブルの前に腰掛ける。そして、目の前に置いてある朝刊に手を伸ばした。

宮田は最初今日の日付を見るが、見なくとも今日が三月三十日であることを知っている。

「もう、五年か」

ふと脳裏にあの日の出来事が蘇《よみがえ》り、宮田は美幸の後ろ姿に目を向けていた。

しかし、宮田の瞳《ひとみ》に美幸の姿は映っていない。映っているのは、心美の小さな後ろ姿であった。

いつしか美幸と心美を重ねていたことに気づいた宮田は、今度は心の中に心美の姿を浮かべ、心美に語りかけた。

心美、あれからもう五年の年月が過ぎたんだな……。

元気にしていますか？

ちゃんと食べていますか？

ちゃんと、眠っていますか？

私は、美幸と共に元気でやっています。

結婚したんだ。三年前に。

勿論《もちろん》、君に言われたから彼女と一緒になったんじゃない。僕の意思で、彼女と一緒になることを決めたんだ。

だからといって心美、一日だって、君を忘れたことはないよ。常に心美を、想っている。

なあ心美、君は今どこで何をしているんだ？

あの日、君は一体どこへ消えてしまったというんだ？

なあ心美、そろそろ私の元に戻ってきてはくれないか？

君はあんな手紙を残して去っていったけれど、私と美幸は、心美と三人で暮らしたいと思っているんだ。

勿論、美幸には心美の全てを話した。手紙だって見せた。

彼女、最初は驚いたよ。でも、全てを信じてくれた。全てを受け入れてくれた。

だから心美、私たちと一緒に暮らそう。

君の部屋だって五年前と変わらず、そのままにしてあるんだぞ？

私は正直、君がどこで生活しているのか全く見当がつかない。

だからといって、何もせずただ待っているわけじゃないんだ。

もしかしたら君が現れるんじゃないかと思って、私は毎日仕事が終わった後あの時計台に行って、君を捜している。休日は美幸と一緒に行って、君が帰ってくるのを待っているんだ。

それでも君に会えないのは、君が私たちに会ってはいけないと思っているからだろう？

私は、そうであると信じている。

というのも、こんなこと思いたくはないが、正直言って怖いんだ。

君はもう、この世にいないんじゃないかって……。

私はその瞬間を見たわけではないが、君はあの時恐らく、落ちてきた電車の下敷きになってしまったのだろう。

あの瞬間、魂を失ってしまったのか……？

いや、決してそんなことはないよな？

都合がいいかもしれないが、君は人間じゃないんだから、死ぬことは絶対にないよな？

今もどこかに、いるんだよな？

本当は時々、私たちに会いに来てくれているんだろう？

そうだよな、きっと、そうだよな……。

心美、私は信じているよ。

私の気持ちが心美に届いて、また一緒に生活できることを。

それが何十年先になろうと、私は構わない。

待ってるから。

ずっとずっと、待ってるから……。

一方、今年百歳を迎える直弥の母は残り半年の命であるが、まだ身体の方は元気であった。

ただ一人では『何も』できず、あの出来事以来ヘルパーの介護を受けている。

この日もいつもと同じように午前八時にヘルパーがやってきた。しかしいつもの男性ではなく、若い女性ヘルパーであった。

その時直弥の母はパジャマ姿のまま、布団の上に座ってぼんやりと空を眺めていた。

「おはようございます樋口さん」

ヘルパーが声をかけても、直弥の母は無反応であった。

「樋口さん、樋口友子さん」

ヘルパーは、名前を認識させるように言った。するとようやく直弥の母は振り返り、丁寧にお辞儀した。いつもと違うヘルパーだということには気づいていない様子である。

「初めまして樋口さん、今日からお世話させていただきます、野口《のぐち》友子と言います。名前が一緒で、何だか嬉《うれ》しいです。字も同じ、友達の友に、子供の子、です」

野口は楽しそうに話すが、直弥の母は興味なさそうに再び空の方に視線を向けた。

「樋口さん、原田《はらだ》さんからお話があったように、原田さんは昨日でお仕事をお辞めになったんです。だから今日から私がお世話させていただきます。よろしくお願いしますね」

もう一度言ったが、直弥の母には聞こえていないようであった。

「じゃあ樋口さん、まずはお着替えして、布団をたたみましょうね。その後、朝ご飯を作りますからね」

野口はそう言って、箪笥《たんす》を振り返る。

その時、野口はふと仏壇の上に置いてある白黒写真に気づいた。

そこに写っている直弥を見つめていると、ぼんやりと空を眺めていたはずの直弥の母がこう言ったのである。

「直弥と言います」

野口はハッと振り返り、

「お子さん、ですか？」

直弥の母はええと頷《うなず》いた。

「そうですか」

早くに子を亡くした直弥の母に対し不憫《ふびん》な想いを抱く野口は、これ以上直弥のこと

について触れるつもりはなかったが、

「勉強が嫌いな子でね」

直弥の母が不満を言い、野口はフフフと笑った。

「そうだったんですか」

「全く困ったもんですよ、ゲームばっかりしてるんだから」

野口は、写真が白黒であることを再確認すると、

「ゲーム、ですか？」

と尋ねた。すると直弥の母はこう答えた。

「ほら、あの小さなテレビがついてるやつですよ」

「小さなテレビ……」

野口はすぐに『ポータブルゲーム機』だと理解した。

「それに夢中になって、全然宿題やらないんですよ」

白黒写真とポータブルゲーム機の時代が合わず、野口は困惑する。

「でも、誰よりも優しい子でねえ」

野口は違和感を抱きながらも、写真を見つめながら頷く。

「本当に、優しそうな顔してる」

「そろそろ帰ってきますから」

直弥の母が当たり前のようにそう言ったので、野口は少し反応が遅れた。

「直弥くんが、ですか？」

直弥の母は頷くと、嬉しそうにこう言った。

「今、学校に行ってるんですよ」

その直後、直弥の母はこう付け足した。

「あ、でもどこかでゲームやってるかもしれないねえ」

野口はもう一度、白黒写真に目を向ける。

直弥の母が認知症であることは無論理解しているが、どう考えても時代が合わないことを野口は不思議がる。

しかし深く考えることはせず、

「まあいっか」

と言った。

直弥の母の嬉しそうな顔を見ていたら、そんな小さなことなどどうでもよく思えてきたのだ。

野口は直弥の母に視線を戻すと、満面の笑みでこう言った。

「直弥くんが帰ってくるの、二人で気長に待ってましょう」

かつてテクが生活していた岬村の『南岬公園』では吉野桜が満開となり、この日、多くの人たちが桜を見に集まっていた。

その桜の木の陰から、一人の少年が現れた。

黒いネックレスの『使者』である。

しかし少年の首にはもう、黒いネックレスは垂れていない。あの日以来、特に理由はないがネックレスをしなくなった。

少年の視線の先には、ベンチに座る玖美の姿がある。

そのベンチから少し離れた砂場には、幼い女の子がいる。

玖美の娘、『秋桜《こすも》』だ。

少年は、秋桜《コスモス》の咲く時期に生まれたから、『コスモ』と名付けたことまで知っている。

少年は二人を見つけると、

「ここにいたのか」

と呟《つぶや》いた。

玖美が家にいないときは仕事か、そうでないときは大抵この公園にいるのである。

しかし少年は、二人に姿を見せることはない。二人を陰から見つめているだけである。

少年は、玖美と秋桜を見ながら言った。

「もう五年か」

少年はいつしか、あの日の出来事を思い返していた。

テクが消えた直後、少年は足元で気を失っている玖美に、『６０００００』秒、約一週間分の時間を与えたのである。

自分でも意外な行動であった。

玖美は自分には全く関係のない人間だ。それにテクの頼みを聞く義理もない。

なのに、時間を与えていた。

その瞬間玖美は『元の運命』に戻り、七ヶ月後の十月、秋桜を出産したのである……。

少年は玖美と秋桜を見つめながら心の中にテクの姿を浮かべ、テクに語りかける。

君には、二人の姿が見えているのか。

玖美は母親となり、秋桜はこんなにも大きくなったんだ。

僕に感謝しろよ。僕のおかげで、二人はこうして幸せに暮らしているんだから。

大丈夫。安心しろ。

二人の『残り時間』に狂いはない。秋桜は驚くことに、九十七歳まで生きる運命だ。

しかし、またあの日みたいに僕たち『使者』のせいで突然運命が変わることもあるがな……。

少年は意地悪を言うが、こうして二人の元にやってくるのは、二人の『残り時間』に狂いがないか、確かめるためであった。

二人を助けたり、時間を確かめに来たり、色々と自分らしくないよな、と少年はテクに言う。

そして少年には、ここに来る理由がもう一つある……。

「ねえねえ、お母さん、お母さん」

秋桜の声で、少年は現実に戻った。

「見て見て、砂のお山ができたよ！」

それを見た玖美が、

「わあ上手にできたわね」

と秋桜を褒めた。

「お母さんも一緒に遊ぼうよお」

「お母さんは汚れちゃうからいいわよ。ここで見てるから」

玖美はそう言いながら黄色い土管に視線を向け、何だか懐かしそうな表情を浮かべた。

それは、今日が初めてのことではなかった。

玖美が黄色い土管を見つめる姿を、少年はこの五年間で何度も見ている。

しかし少年には、なぜ玖美がそれを見つめているのかが分からない。

黄色い土管を見つめる玖美を眺める少年は、ある決意をしていた。

テクがこの世から消えたことを玖美に告げに行くのだ、と。

実はそれが、二人の元にやってくるもう一つの理由であった。

少年はこの五年間、一度も玖美と秋桜の前に姿を現したことはないが、話さずとも少年には、玖美がテクを待っているのが分かる。

だから真実を伝えてやろうと思うのだが、テクを待つ玖美を見ていると、どうしても言えなくなってしまう。

全く本当に自分らしくないよ、と少年は心の中で言うが、今日こそは、と決意した。

だが、いざとなると二人の前に行くことができない。

木の傍でうろうろしていると、

「お兄ちゃん、こんなところで何しているの？」

突然声をかけられた。

目の前にはいつのまにか秋桜がおり、

「あ、いや……」

少年は咄嗟《とっさ》に玖美を見た。玖美も少年を見ているが、玖美は昔会ったことを忘れている様子である。

それに一先《ひとま》ず安堵《あんど》した少年は、

「ああ、その、桜を見ているんだ」

と言った。

「ふうん」

秋桜は納得したように頷《うなず》くと、

「お兄ちゃん、お名前は？」

と聞いてきた。

その質問に少年は戸惑う。

「名前は、ないんだ」

と言うと、秋桜は首を傾げるが決して馬鹿にすることはなく、

「じゃあ私がつけてあげる」

と言った。

「秋桜が？」

すぐに少年はしまったと思う。だが、遅かった。

「どうしてお兄ちゃん、私の名前を知っているの？」

少年は咄嗟に嘘が思いつかず、

「あ、いや、何でかな」

と、下手に誤魔化した。

秋桜はまた首を傾げるが、

「まあいっか、それより、名前どうしようかなあ」

腕を組んで考え始めた。

少年は安堵するのも忘れ、真剣に悩む秋桜をじっと見つめる。

珍しく、緊張していた。

「分かった！」

三分ほどが経った頃、秋桜が手を叩《たた》いて言った。

「なんだろう」

少年が尋ねると、秋桜はこう言った。

「今春だから、ハルお兄ちゃん！」

少年はなぞるように、

「春だから、ハル」

「そう、いい名前でしょ？」

少年は心の中でもう一度、春だからハルか、と繰り返すと、何だか安易だなと笑った。

しかし自分でも意外だが、名前をつけてもらったことに心を動かされている自分がいて、

「ありがとう」

素直にそう言っていた。

それは、七十年以上生きてきた中で初めての言葉であった。

「どういたしまして」

秋桜は丁寧にそう言った後、少年に手を差し出した。

「ハルお兄ちゃん、一緒にお砂遊びしよ！」

「え、砂遊び？」

「うん、一緒に遊ぼ！」

少年は玖美を気にしながら、

「僕は子供のようで、子供じゃないんだぞ」

と言った。

だが秋桜には理解できるはずもなく、

「いいから早く早く！」

少年の袖《そで》を引っ張って言った。

少年は面倒臭そうに、

「どうしてそんなに僕と遊びたいんだ」

と聞いた。

するとと秋桜はこう答えたのだ。

「だって友達になったんだから」

秋桜の言葉が、胸に温かく広がった。

「友達、か」

「うん！　ハルお兄ちゃん、早く行こ！」

少年は秋桜の屈託のない笑顔をしばらく見つめ、頷いた。そして少し戸惑いながら、
秋桜の右手に、自分の右手を乗せたのだった。


（完）

本書は二〇一一年十一月、小社より刊行された単行本『名のないシシャ』を文庫化したものです。

名《な》のないシシャ

山田悠介《やまだゆうすけ》

平成26年 2月25日　初版発行
平成27年 7月5日　8版発行

発行者●郡司 聡

発行●株式会社KADOKAWA
〒102-8177　東京都千代田区富士見2-13-3
電話 03-3238-8521（カスタマーサポート）
http://www.kadokawa.co.jp/

角川文庫 18414

印刷所●旭印刷株式会社　製本所●株式会社ビルディング・ブックセンター

表紙画●和田三造

ISBN978-4-04-101222-2　C0193

角川文庫発刊に際して

角川源義

第二次世界大戦の敗北は、軍事力の敗北であった以上に、私たちの若い文化力の敗退であった。私たちの文化が戦争に対して如何に無力であり、単なるあだ花に過ぎなかったかを、私たちは身を以て体験し痛感した。西洋近代文化の摂取にとって、明治以後八十年の歳月は決して短かすぎたとは言えない。にもかかわらず、近代文化の伝統を確立し、自由な批判と柔軟な良識に富む文化層として自らを形成することに私たちは失敗して来た。そしてこれは、各層への文化の普及滲透を任務とする出版人の責任でもあった。

一九四五年以来、私たちは再び振出しに戻り、第一歩から踏み出すことを余儀なくされた。これは大きな不幸ではあるが、反面、これまでの混沌・未熟・歪曲の中にあった我が国の文化に秩序と確たる基礎を齎らすためには絶好の機会でもある。角川書店は、このような祖国の文化的危機にあたり、微力をも顧みず再建の礎石たるべき抱負と決意とをもって出発したが、ここに創立以来の念願を果すべく角川文庫を発刊する。これまで刊行されたあらゆる全集叢書文庫類の長所と短所とを検討し、古今東西の不朽の典籍を、良心的編集のもとに、廉価に、そして書架にふさわしい美本として、多くのひとびとに提供しようとする。しかし私たちは徒らに百科全書的な知識のジレッタントを作ることを目的とせず、あくまで祖国の文化に秩序と再建への道を示し、この文庫を角川書店の栄ある事業として、今後永久に継続発展せしめ、学芸と教養との殿堂として大成せんことを期したい。多くの読書子の愛情ある忠言と支持とによって、この希望と抱負とを完遂せしめられんことを願う。

一九四九年五月三日

角川文庫ベストセラー

パズル　山田悠介

超有名進学校が武装集団に占拠された。人質となった教師を助けたければ、広大な校舎の各所にばらまかれた2000ものピースを探しだし、パズルを完成させなければならない⁉　究極の死のゲームが始まる！

8.1 Horror Land　山田悠介

ネットのお化けトンネルサイトで知り合ったメンバー。心霊スポットである通称「バケトン」で肝試しをするために、夜な夜なバケトンに足を運んではスリルを味わっている――そう、あのバケトンに行くまでは！

8.1 Game Land　山田悠介

デートで遊園地にきたカップルは、ジェットコースターに乗り込んだ。その途端、「今から生き残りレースを始めます。最後の一人になるまで続きます」とアナウンスされた。果たして残酷なそのゲームとは⁉

スイッチを押すとき　山田悠介

自らの命を絶つ【スイッチ】を渡され、施設に閉じ込められている子供たち。監視員の南洋平は、四人の〝7年間もスイッチを押さない子〟たちに出会う。彼らと共に施設を脱走した先には非情な罠が待っていて。

ライヴ　山田悠介

火曜の朝に始まった、謎のTV番組。『まもなくお台場よりレースがスタートいたします！』。予測不可能なトラップに、次々と脱落していく選手たち。彼らが命を賭けて、デスレースするその理由とは⁉

角川文庫ベストセラー

オール　山田悠介

オールミッション2　山田悠介

スピン　山田悠介

パーティ　山田悠介

モニタールーム　山田悠介

一流企業に就職したけれど、やりがいを見つけられずに辞めてしまった健太郎。偶然飛び込んだ「何でも屋」は、変な奴らに、変な依頼だらけだった。ある日、メールで届いた依頼は「私を見つけて」⁉

生意気な後輩・駒田と美人の由衣が仲間に加わり、毎日が落ち着かない健太郎。そのうえ、相変わらずおかしな依頼ばかり。健太郎はだんだん由衣のことが気になってきたが、駒田も由衣を狙っている⁉

ネットで知り合った、顔を知らない6人の少年たち。「世間を驚かせようぜ!」その一言で、彼らは同時刻にバスジャックを開始した! 目指す場所は東京タワー。運悪く乗り合わせた乗客と、バスの結末は⁉

小学校から何をするのも一緒だった4人の男子は、ずっと守っていた身体の弱い女の子を、大人にだまされ失ってしまう。それから幾月——彼らは復讐を誓い神嶽山に集合する。山頂で彼らを待つものとは⁉

無数のモニターを見るだけで月収百万円という仕事に就いた徳井。そこに映っていたのは地雷で隔絶された地帯に住む少年少女たちの姿で——⁉